머리말

漢字는 우리의 日常生活과 매우 密接 한 關聯이 있으므로 學習의 必要性을 認定 하면서도 배우기가 어려운 것으로 생각하는 傾向이 있다,
그것은 漢字만이 갖고 있는 獨特 한 構造 때문일 것이다. 그러나 그 과정의 어려움을 克復 하고 나면 漢字 만큼 人生의 敎訓을 듬뿍 담은 言語도 없음을 알게 된다

漢詩를 다루다 보니 경험 상 한자와의 接近이 쉬워지고 빨리 이해할 수 있는 길이 열림을 알 수 있었다

지금은 옛날 書堂에서 하는 方法을 넘어 디지털화된 현대 기술과의 접목으로 보다 빨리 손쉽게 이해하고 습득할 수 있는 길이 열렸다는 것은 매우 고무적인 일이 아닐 수 없다.

10여 년 전부터 여려冊子를 通 해 모았던 좋은 漢詩를 나름대로 해석하여 이와 같이 책으로 발간하게 된 점 기쁘게 생각합니다.

-小野 韓 相浩-

표지그림 pikisupersta Freepik

No.301

※寄君實 -月山大君 李 婷-
기 군 실 월산대군 이 정

旅館殘燈曉 孤城細雨秋 思君意不盡千里大江流
여관 잔등 효 고성 세우 추 사 군 의 부 진 천리 대강 류

婷/예쁠 寄/부칠 旅/군사/나그네
정 기 여

☞가물가물 旅館집 새벽 등불 추적추적 외로운 城에 가을비.
여관 성

끝없는 그대 생각에 千里 긴 강만 흐르누나.
천리

★月山大君 李婷1454(端宗2)~1488(成宗19)成宗의親兄,
월산대군 이정 단종 성종 성종 친형

德宗의 長男, 1468년 顯祿大夫가 더해지고 1471(成宗2)
덕종 장남 현록대부 성종

佐理功臣의 號를 받았다.
좌리공신 호

詩와酒를 좋아하여 자기집 뒤뜰에 風月亭을 짓고 書籍을
시 주 풍월정 서적

쌓아두고 風流的인 生活을 하였다, 특히 成宗과 友愛가
풍류 적 생활 성종 우애

깊었다고 한다

※感興 -冲庵 金 淨-
감흥 충암 김 정

No.302

落日臨荒野 寒鴉下晩村 空林煙火冷 白屋掩荊門
낙일 임 황 야 한아 하 만 촌 공 림 연화 냉 백옥 엄 형 문

鴉/갈가마귀 掩/기릴 荊/모형나무/가시나무
아 엄 형

☞지는 해는 거친 들을 내려다보고 저녁마을에 모이는 겨울 까마귀. 빈숲엔 밥 짓는 차가운 煙氣 사립문을 닫는 草家집.
연기 초가

★冲庵 金 淨 /朝鮮 中宗때 詩人
충암 김 정 조선 중종 시인

※大興洞 -花潭 徐敬德-
흥 동 화담 서경덕

紅樹映山屛 碧溪瀉潭鏡 行吟玉界中 陡覺心淸淨
홍 수 영 산 병 벽계 사 담 경 행음 옥 계 중 두 각 심 청 정

瀉/쏟을 潭/깊을 陡/험할 淨/깨끗할
사 담 두 정

☞山 屛風을 비추는 붉은 丹楓 연못에 쏟아지는 파란 시내 玉 같은 世界 거닐며 읊조리니 문득 마음이 맑아지네
산 병풍 단풍 옥 세계

⊙花潭 徐敬德 1489(成宗20)~1546(明宗1) 朝鮮 中宗때의 學者. 18세때 大學을 배우다가 "格物致知"에 크게 깨달은 바가 있어 그 의지에 힘입어 學文을 研究 하였다 宣祖때의 右議政을 追贈 받았다
화담 서경덕 성종 명종 조선 중종 학자 대학 격물치지 학문 연구 선조 우의정 추증

※偶吟 -南溟 曺 植-
우음 남 명 조 식

人之愛正士 好虎皮相似 生則欲殺之 死後方稱美
인 지 애 정 사 호 호 피상 사 생 즉 욕 살 지 사후 방 칭미

☞올곧은 선비 사랑하기는 좋아하는 호랑이 가죽 같아

살아서는 죽이려 하다가도 죽고 나면 바야흐로 칭찬하는 것

⊙南溟 曺植 1501(燕山君7)~1572(宣祖5) 朝鮮 中期의 學者,
남 명 조식 연산군 선조 조선 중기 학자

벼슬을 버리고 산속으로 들어가 /治亂의 道理와 學文의
치란 도리 학문

方法을 연구했다 宣祖는 大司諫을 追贈, 光海君은 領議政과
방법 선조 대 사 간 추증 광해군 영의정

함께 諡號를 내렸다.
시호

No.303

※題沖庵詩後 -河西 金 麟 厚-
제 충 암 시 후 하서 김 인 후

來從何處來 去向何處去 去來無定蹤 悠悠百年許
내 종 하 처 래 거 향 하처 거 거래 무 정 종 유유 백년 허

沖/빌 蹤/자취 悠/멀 麟/기린
충 종 유 인

☞오기는 어디서 오며 가기는 어디로 가는 가 오고 감에
一定한 자취 없는 것 아득하여라 百年의 約束이여.
일정 백년 약속

⊙河西 金麟厚 1510(中宗5)~1560(明宗15)朝鮮 仁宗때의
하서 김인후 중종 명종 조선 인종

名臣.弘文館 副修撰이며 尹元衡과 尹任사이의 黨爭을
명신 홍문관 부 수 찬 윤원형 윤임 당쟁

念慮하다가 乙巳史禍 後故鄕 長城으로 내려가 性理學을 研究
염려 을사 사화 후 고향 장성 성리학 연구

하였다.

※絶句 -淸蓮 李後白-
절구 청 연 이후백

細雨迷歸路 騎驢十里風 野梅隨處發 魂斷暗香中
세우 미 귀 로 기 려 십리 풍 야매 수 처 발 혼 단 암향 중

迷/미혹할/헤메다 驢/나귀/당나귀 暗/어두울
미 려 암

☞가랑비에 돌아갈 길 잃고 나귀 타고 헤치는 십리 바람
곳마다 피어있는 들매화 그윽한 그 향기에 넋을 잃으니

⊙清蓮 李後白 1520(中宗15)~1578(宣祖 11) 朝鮮 宣祖때의
청 연 이후백 중종 선조 조선 선조

名臣.1555년 明宗10년에 文科에 及第 여러 벼슬을 거쳐
명신 명종 문과 급제

提學,戶曹判書를 지내고 延陽君에 被奉되었으며 仁聖王后가
제학 호조 판서 연 양 군 피 봉 인성 왕후

죽은 후, 조정의 服祭에 대하여 異論이 많은 것을 後白이
복 제 이론 후 백

3년의 喪을 主張하여 宣祖의 裁可를 받았다 湖南에서 名望이
상 주장 선조 재가 호남 명망

높았음

Pixabay Enrique

No.304

※詠黃白二菊 -霽峰 苔軒 高敬命-
영 황백 이 국 제 봉 태 헌 고경명

正色黃爲貴 天姿白亦奇 世人看自別 均是傲霜枝
정색 황 위 귀 천자 백 역 기 세인 간 자 별 균 시 오 상 지

霽/갤 姿/맵시
제 자

☞바른 빛이라 귀히 여기는 노랑 타고 난 모습은 흰색 또한 奇特하지.
기특

세상 사람이야 구별하여 보겠지만 고루 서리 업신여기는 가지

⊙霽峰 高敬命 1533(中宗28)~1592(宣祖 25) 朝鮮 宣祖
제 봉 고경명 중종 선조 조선 선조

때의 義兵將 官은 東萊府使에 이르렀다, 壬辰倭亂 때는 60의
의병 장 관 동래 부사 임진왜란

노인으로 柳彭老와 함께 義兵 6,7천명을 거느리고 宣祖의
유팽로 의병 선조

行宮이 있는 平安道로 가고자 北上하다가 錦山에서 倭軍을
행궁 평안 도 북상 금 산 왜군

맞아 싸우다가 戰死 하였다. 文章,詩, 글씨에 뛰어났다,
전사 문장 시

※宜月亭 -松江 鄭 澈-
의 월 정 송강 정 철

白嶽連天起 城川入海遙 年年芳草路 人度夕陽橋
백 악 연천 기 성 천 입해 요 연년 방초 로 인 도 석양 교

宜/마땅할 澈/물맑을 嶽/큰산
의 철 악

☞하늘에 닿아 일어나는 白嶽 바다로 흘러드는 城川.
백 악 성 천

해마다 香氣로운 풀 길 따라 夕陽의 다리 건너는 사람들
향기 석양

⊙松江(송강) 鄭澈(정철) 1536(中宗(중종)31)~1593(宣祖(선조)26) 朝鮮(조선) 宣祖(선조) 때의 名臣(명신).文人(문인). 서울 출생 어려서 金麟厚(김인후), 奇大升(기대승)에게 배우고 1562(명종17)文科(문과)에 及第(급제), 成均館(성균관) 典籍(전적)이 되었다가 1567(명종22) 李珥(이이)와 같이 湖當(호당)에 들어갔다 그때는 이미 東(동), 西(서)의 黨爭(당쟁)이 露骨化(노골화)하던 때라 鄭澈(정철)은 西人(서인)의 巨頭(거두)가 되어 東人(동인) 李潑(이발) 一派(일파)와 맞서서 싸웠다, 反對黨(반대당)에 밀려 江原道(강원도) 觀察使(관찰사)로 關東八景(관동팔경)을 벗삼아 지냈다 本來(본래) 性質(성질)이 바른 말을 잘 하는데다 黨禍(당화)를 입어 거의 平生(평생)을 귀양살이로 지냈다 關東別曲(관동별곡), 城山別曲(성산별곡)등을 爲始(위시)하여 國文學史上(국문학사상)의 逸品(일품)을 남겼다.

jpeter2

No.305

※山寺夜吟 -松江 鄭 澈-
산사 야 음 송강 정 철

蕭蕭落木聲 錯認爲疎雨 呼僧出門看 月掛溪南樹
소 소 낙목 성 착인 위 소 우 호 승 출문 간 월 괘 계 남 수

蕭/맑은대쑥/삼가다 錯/섞일 掛/걸
소 착 괘

☞나뭇잎 떨어지는 소소한 소리에 성난 비인 줄 알고
스님 불러 나가 보라 했더니 달이 시내 남쪽 나무에
걸렸다네.

※山中 -栗谷 李 珥-
산중 율곡 이 이

採藥忽迷路 千峰秋葉裏 山僧汲水歸 林末茶煙起
채약 홀 미 로 천봉 추 엽 리 산승 급수 귀 임 말 다연 기

☞약을 캐다가 문득 잃어버린 길은 천 봉우리 가을 잎 속
스님이 물 길어 돌아가니 수풀 끝에서 일어나는 차 연기

⊙栗谷 李珥 1536(中宗31)~1584(宣祖17) 朝鮮 中期의
율곡 이이 중종 선조 조선 중기

大學者, 어머니는 師任堂申氏,13세에 進士初試에 合格,16세에
대학 자 사임당 신 씨 진사 초시 합격

어머니를 잃고 世相의 虛無를 痛嘆하여 3년喪이 지나
세상 허무 통탄 상

金剛山에 들어가 佛教를 研究. 1558년(明宗13)에 당시
금강산 불교 연구 명종

이름을 떨치던 李滉을 찾아가 學文을 論議하니, 李滉은 크게
이황 학문 논의 이황

感歎하였다, 그해 가을 別試에 壯元하고 이를 前後하여 科擧
감탄 별시 장원 전후 과거

때 마다 壯元을 하여 九度壯元이란 稱誦을 받았다
장원 구 도 장원 칭송

벼슬은 大司諫, 大司憲, 戶曹判書, 大提學, 吏曹判書,
대 사 간 대사헌 호조 판서 대제학 이조 판서

右贊成,兵曹判書등을 歷任, 그의 思想은 氣發理承一途說로
우 찬성 병조판서 역임 사상 기 발 이 승 일 도 설

代表되며 政治的인 態度는 儒學상의理想인 堯舜時代를
대표 정치적 태도 유학 이상 요순 시대

實現하는 것 이었다十萬養兵設을 主張하여 壬辰倭亂을
실현 십만 양병 설 주장 임진왜란

豫言한 것은 有名한 事實이다,
예언 유명 사실

No.306

※無題 -坡谷 李誠中-
무제 파 곡 이성중

紗窓近雪月 滅燭延清輝 珎重一樽酒 夜闌人未歸
사창 근 설월 멸 촉 연 청 휘 진 중 일 준 주 야 란 인 미귀

紗/깁/얇고 긴비단 延/끌 輝/빛날 闌/가로막을
사 연 휘 란

☞눈 위 달에 가까운 비단 창가 촛불만 가물가물 빛을 늘이고
맛좋은 한 통의 술, 밤이 깊어도 그 사람은 아니 오네.

⊙波谷 李誠中
파곡 이성중

1539(中宗34)~1593(宣祖26) 朝鮮 宣祖 때의 功臣. 1570년
중종 선조 조선 선조 공신

文科에 及第, 大司諫, 大司憲을 거쳐 副提學으로 있다가
문과 급제 대 사 간 대사헌 부 제 학

黨論의 排斥을 받음
당론 배척

※閑山島 夜吟 -汝海 李舜臣-
한산도 야 음 여 해 이순신

水國秋光暮 驚寒雁陣高 憂心輾轉夜 殘月照弓刀
수국 추광 모 경 한 안진 고 우심 전전 야 잔월 조 궁 도

汝/너 舜/순임금/무궁화 陣/줄/열 輾/구를 = 轉
여 순 진 전 전

☞가을 빛이 저무는 물나라 기러기 떼 추위에 놀라 높이 날고
뒤척뒤척 나라 걱정하는 밤, 새벽달만이 궁도를 비추네.

⊙汝海 李舜臣 1545(仁宗1)~1598(宣祖31) 朝鮮 宣祖 때의
여 해 이순신 인종 선조 조선 선조

名將. 諡號는 忠武公. 47세때 全羅左道水軍節度使가 됨,
명장 시호 충무공 전라 좌도 수군절도사

戰爭이 있을 것을 豫測하고 미리부터 軍士를 訓練하고裝備를
전쟁 예측 군사 훈련 장비

갖추어 이에 對備하였다. 특히 거북선을 創造하여 戰爭에
대비 창조 전쟁

臨하게 하였다 壬辰倭亂이 일어나자 敗將 元均의 要請을
임 임진왜란 패장 원균 요청

받아 艦隊를 이끌고 적의 水軍과 싸워 到處에서 擊破시켰다,
함대 수군 도처 격파

특히 閑山島와 釜山浦의 싸움은 有名한 것으로 이로 인하여
한산도 부산 포 유명

日本軍은 決定的 打擊을 받고 舜臣은 完全히 制海權을
일본 군 결정적 타격 순 신 완 전 제해권

掌握하였다,위의 功으로 正憲大夫의 벼슬을 주고 最初로
장악 공 정 헌 대부 최초

水軍統制使에 任命되었다.
수군통제사 임명

元均一派와 日本의 離間策으로 死刑을 言渡 , 判中樞府事
원균 일파 일본 이간책 사형 언도 판중추부사

鄭琢의 反對로 死刑을 免除되었으나 兵力이 不足한 狀態에서,
정탁 반대 사형 면제 병력 부족 상태

舜臣은 아직도 12척의배가 남아있으며 내가 죽지 않는 한
순 신

敵이 감히 우리의 水軍을 허슬히 보지 못할 것이라는 秘藏한
적 수군 비장

決意를表하고 戰鬪에 臨한 有名한 말씀을 남겼다.
결의 표 전투 임 유명

日本將師 豊臣秀吉이 죽어 撤收하자 마지막 決戰을 試圖하여
일본 장수 풍 신 수 길 철수 결전 시도

11월18일 露梁에서 敵을 殲滅, 그러나 이때 李舜臣도
노 량 적 섬멸 이순신

敵의流彈에 맞아 壯烈한 最後를 마치니 이때 나이 54세였다.
적 유 탄 장렬 최후

李舜臣은 至極한 忠誠,崇高한 人格,偉大한 統率力으로 보아
이순신 지극 충성 숭고 인격 위대 통솔력

韓國 歷史上 가장 偉大한 人物이며 壬辰倭亂 中 國家의
한국 역사상 위대 인물 임진왜란 중 국가

運命을 홀로 支撑한 民族的 恩人이었으니 明나라 진인도
운명 지탱 민족적 은인 명

그를 評하여 “有經天緯地之才補天浴日之功”이라하여 그를
평 유 경 천 위 지 지 재 보 천 욕일 지 공

稱讚하고 ,痛哭하였다한다 宣祖는 特使를 보내어 이를 弔問,
칭찬 통곡 선조 특사 조문

諡號를 내리고 宣武一等功臣의 호를 주어 德豊君에 封했으며
시호 선 무 일등공신 덕 풍 군 봉

右議政 및 左議政을 追增, 正祖때에는 領議政을 追增하였다.
우의정 좌 의정 추증 정조 영의정 추증

No.307

※贈眞鑑 -白湖 林 悌-
증 진 감 백호 임 제

夜半林僧宿 重雲濕草衣 巖扉開晩日 栖鳥始驚飛
야반 임 승 숙 중 운 습초 의 암 비 개 만 일 서 조 시 경 비

贈/보낼 悌/공경할 巖/바위 晩/저물 栖/깃들일
증 제 암 만 서

☞스님도 잠든 이 한밤 옷자락을 적시는 무거운 구름

黃昏에 바위 사립을 여니 깃든 새 놀라 날고.
황혼

⊙白湖 林悌 1549(明宗4)~1587(宣祖20)朝鮮 宣祖 때의
백호 임제 명종 선조 조선 선조

文人,576(宣祖9)生員, 進士에 合格, 1577年大科에 及第,
문인 선조 생원 진사 합격 년 대 과 급제

禮曹正郎을 지냈으나 당시 선비들이 東,西로 나뉘어 다투는
예 조 정 랑 동 서

것을 慨嘆하고 名山을 찾아 다니면서 悲憤慷慨 속에
개탄 명산 비분강개

夭折했다,文章과 詩에 뛰어난 天才였다.
요절 문장 시 천재

aalmeidah

No.308

※弘慶寺 -玉峰 白光勳-
홍 경 사 옥 봉 백광훈

秋草前朝寺 殘碑學士文 千年有流水 落日見歸雲
추초 전 조 사 잔비 학사 문 천년 유 류 수 낙 일 견 귀 운

碑/돌기둥
비

☞지난 朝廷의 절엔 가을 풀 남은 碑에는 學士의 글
조정 비 학사

千年동안 물만 흐르고 지는 햇살에 돌아가는 구름만 보네.
천년

⊙玉峰 白光勳 1537(中宗32)~1582(宣祖15) 朝鮮 宣祖 때의
옥 봉 백광훈 중종 선조 조선 선조

詩人 8세에 詩를 짖고 13세에 詩名을 떨쳤다 科擧를 보지
시인 시 시명 과거

않고 山水를 즐기며 詩作에 專念, 當代 最高의 文章家로
산수 시작 전념 당대 최고 문장가

四傑,八文章의 한사람으로 불리었다.
사걸 팔문장

※老馬 -楊浦 崔 澱-
노마 양 포 최 전

老馬枕松根 夢行千里路 秋風落葉聲 驚起斜陽暮
노마 침 송근 몽 행 천리 로 추풍낙엽 성 경기 사양 모

澱/앙금/찌기
전

☞솔뿌리 베고 누운 늙은 저 말 꿈속에 달리는 千里 길.
천리

가을바람 落葉 소리에 놀라 깨어나니 어느새 저무는 해.
낙엽

No.309

※江夜 -五山 車天輅-
강 야 오산 차천로

夜靜魚登釣 波深月滿舟 一聲南去鴈 嘀送海山秋
야 정 어 등 조 파 심 월 만 주 일성 남 거 안 제 송 해산 추

輅/수레 嘀/울
로 제

☞고요한 밤에 고기는 낚시로 낚아 올리고 물결은 깊고 달빛은 배에 가득. 江南으로 날아가는 기러기 한 소리 울어 보내는 바다 산의 가을이여.
강남

⊙五山 車天輅 1556(明宗11)~1615(光海君7)朝鮮 宣祖때 文章家, 1557(宣祖10)文科에 及第, 文士로 뽑혀 1589(宣祖22)年 通信史 黃允吉을 따라 日本에 다녀왔으며 여러 벼슬을 거쳐 奉常寺僉正에 이르렀다. 文章이 秀麗하여 宣祖가 明나라에 보내는 書翰을 專擔케 하였으며, 壬亂때 明나라에 援軍을 請하는 書翰을 썼다
오산 차천로 명종 광 해 군 조선 선조 문장가 선조 문과 급제 문사 선조 년 통 신 사 황윤길 일본 봉 상 사 첨 정 문장 수려 선조 명 서한 전담 임란 명 원군 청 서한

※送完山府尹尹公坤 -陽村 權 近-
송 완 산 부 윤 윤 공 곤 양촌 권 근

巨鎭分南北 完山最是奇 千年鍾王氣 一代啓鴻基
거진 분 남북 완 산 최 시 기 천년 종 왕 기 일대 계 홍 기

☞山城은 南北으로 나뉘는데 完山이 가장 빼어났네 千 年 旺盛한 기운 모아 王宮의 터진 열었느니 巨鎭/큰 山城 鴻基/王宮이 터
산성 남북 완 산 천 년 왕성 왕궁 거진 산성 홍 기 왕궁

◉陽村 權近 1352(高麗 恭愍王1)~1409(太宗9) 朝鮮 初期의
양촌 권근 고려 공민왕 태종 조선 초기

學者,名臣. 나이 18세로 兵科에 及第, 春秋檢閱이 되고,
학자 명신 병과 급제 춘추 검열

恭讓王이 卽位하자 李琳(昌王의 外祖)의 一派로 몰려 極刑을
공양왕 즉위 이 림 창왕 외조 일파 극형

받게 되었으나 李成桂의 救援으로 謀免하고, 李穡의 一派와
이성계 구원 모면 이색 일파

같이 淸州獄에 갇혀 있다가 마침 受惠로 容恕를 받았다.
청주 옥 수혜 용서

贊成事를 거쳐 大提學에 이르렀고, 圃隱 鄭夢周의 門下에서
찬성 사 대제학 포은 정몽주 문하

修學, 性理學에 造詣가 깊었고, 또 文章에 能했으면
수학 성리학 조예 문장 능

朝廷에서의모든 글월을 撰述 하였다,
조정 찬술

琳/아름다운 옥 援/당길 圃/밭 詣/이를 述/지을
림 원 포 예 술

Jayartphoto

No.310

※題德山溪亭柱 -南溟 曺 植-
제 덕 산 계 정 주 남 명 조 식

請看千石鍾 非大扣無聲 爭似頭流山 天鳴猶不鳴
청 간 천 석 종 비 대 구 무 성 쟁 사 두 류 산 천 명 유 불 명

溟/어두울=冥 扣/두들릴 猶/오히려
명 명 구 유

☞千 石**이나 되는 큰** 鍾 **크게 쳐야 소리가 난다는데.**
천 석 종

頭流山**과 다투듯 하늘이 쳐도 울리지 않네.**
두 류 산

大扣**/큰 종 채로 치다** 石**/부피의 단위. 1석은 열 말,말은 약18 리터** 天鳴**/하늘이 울리는 것**
대 구 석 천 명

※山中秋夜 -村隱 劉希慶-
산중 추야 촌 은 유희경

白露下秋空 山中桂花發 折得最高枝 歸來伴明月 希**/바랄**
백로 하 추공 산중 계화 발 절 득 최고 지 귀래 반 명 월 희

☞**하얀 이슬 내리는 가을** 山中**에** 桂樹**나무 꽃 피고. 높은 가지 꺾어 밝은 달 짝하여 돌아오네.**
산중 계수

折得**:꺾어** 伴明月**:밝은 달을 짝하여**
절 득 반 명 월

⊙村隱 劉希慶/ 朝鮮 宣祖**때의** 賢士**, 일찍** 南彦經**에게** 文公**의** 家禮**를 배워 모든** 禮文**에 밝았으며, 특히** 喪禮**에 밝았으므로** 國喪**이나** 平民**의** 喪**에 이르기 까지 모두 그에게** 問議 **하였다.**
촌 은 유희경 조선 선조 현사 남언경 문공 가례 예문 상례 국상 평민 상 문의

No.311

※題松潭四時畫簇-春 -西坰 柳 根-
제 송 담 사 시 화 족 춘 서 경 유 근

日暖花如錦 風輕柳拂絲 尋芳應有意 童子抱琴隨
일 난 화 여 금 풍 경 유 불 사 심 방 응 유의 동자 포 금 수

簇/조릿대/모이다 坰/땅이름
족 경

☞따스한 날씨에 꽃은 비단 같고 가벼운 바람에 버들가지 한들한들 꽃을 찾는 뜻 응당 있을지니 아이야 거문고 안고 따라 오너라

낱말풀이: 柳拂絲/버들이 바람에 실같이 한들거림. 應有意/응당 생각이 있음
유 불 사 응 유의

⊙西坰 柳 根 1549(明宗4)~1627(仁祖5) 朝鮮 中期의 文人.
서 경 유 근 명종 인조 조선 중기 문인
1572(宣祖5)魁科에 及第 湖堂에 들어갔으며 1592년
선조 괴과 급제 호 당
壬辰倭亂 때 특히 禮曹參議가 되어 왕을 모시고 平壤으로
임진왜란 예 조 참의 평양
亂을 避하고 左承旨, 禮曹參判을 거쳐 5道兵馬副制察史에
난 피 좌승지 예 조 참 판 도 병 마 부 제 찰 사
이름 1604(宣祖37)王을 모신 功으로 晉元府院君에 皮封되고
선조 왕 공 진 원 부원군 피봉
벼슬이 大提學 左贊成에 이르렀다, 風貌가 俊秀하고 言行에
대제학 좌 찬성 풍모 준수 언행
節度가 있었으며 文章에 能하고 특히 詩에 뛰어나 많은 冊을
절도 문장 능 시 책
지었다.

※藥山東臺 -草廬 李惟泰-
약 산 동 대 초려 이유태

藥石千年在 晴江萬里長 出門一大笑 獨立倚斜陽
약석 천년 재 청 강 만리 장 출문 일대 소 독립 의 사 양

惟/**생각할** 倚/**의지할**
유 의

☞약 바위 천 년 있고 맑은 강 멀리 길다 문을 나와 한바탕 큰 웃음 홀로 서서 지는 해에 기댄다.

藥石:藥山**의 바위**
약석 약 산

⦿草廬 李惟泰 **1607(**宣祖**40)~1684(**肅宗**10)** 朝鮮 玄宗**때의**
초려 이유태 선조 숙종 조선 현종

學者. 遺逸**로써 벼슬에 나가** 公,吏曹參判**을 지낸 후**
학자 유일 공 이조 참판

均田使,同副承旨**를 거쳐** 大司憲**에 이름** 尤庵**과** 意見**을 같이**
균전 사 동부승지 대사헌 우암 의견

하였으나 후에는 尤庵**과** 意見**을 달리 하였다,**
우암 의견

№312

※龍湖 -龜石 金得臣-
용 호 귀 석 김득신

古木寒雲裏 秋山白雨邊 暮江風浪起 漁子急回船
고목 한운 리 추산 백우 변 모 강 풍랑 기 어 자 급 회선

☞찬 구름 속에 늙은 나무 소나기 가엔 가을 산
풍랑 일어나는 저녁에 서둘러 뱃머리 돌리는 어부여.

낱말:漁子/漁夫
어 자 어부

⊙龜石 金得臣 1604(宣祖37)~1684(肅宗10)朝鮮 玄宗 때의
귀 석 김득신 선조 숙종 조선 현종

詩人 1662(玄宗 3)에 文科에 及第 嘉善大夫가 되고
시인 현종 문과 급제 가선대부

安豊君으로 奉해졌지만 火賊에게 殺害되었다.
안 풍 군 봉 화적 살해

※偶吟絶句遣興 -眉叟 許 穆-
우음 절구 견 흥 미 수 허 목

陽阿春氣早 山鳥自相親 物我兩忘處 方知百獸馴
양 아 춘기 조 산조 자상 친 물아 양 망 처 방 지 백수 순

叟/늙은이 穆/화목할 馴/길들
수 목 순

☞봄기운 이른 따뜻한 언덕 산새들 서로 사랑하네
자연과 나 깃들 곳 없어 바야흐로 알겠거니 뭇 짐승
길들여짐을.

⊙眉叟 許穆 1595(宣祖 28)~1682(肅宗 8) 朝鮮 肅宗 때의
미 수 허목 선조 숙종 조선 숙종

名臣. 1557년(孝宗 8) 持平이 된 後 掌令에 올라 慈懿大妃의
명신 효종 지평 후 장령 자 의 대 비

服制가 禮에 어긋남을 論駁했다. 1659년(玄宗 卽位)禮論으로
복제 예 논박 현종 즉위 예론

宋時烈과 맞서다가 三陟副使로 쫓겨남, 肅宗이 卽位하자
송시열 삼척 부사 숙종 즉위

大司憲이 되고, 1675년(肅宗 1) 吏曹參判이 되어
대사헌 숙종 이조 참판

德,禮,刑,政의 4조에 대한 上訴를 한 바 있음 文章과 글씨에
덕 예 형 정 상소 문장

뛰어났다.

懿/아름다울 駁/얼룩말/어긋나다 陟/오를
의 박 척

No.313

※夜景 -竹泉 金鎭圭-
야경 죽천 김 진 규

輕雲華月吐 芳樹澹烟沉 夜久孤村靜 淸泉響竹林
경운 화 월 토 방 수 담 연 침 야 구 고촌 정 청천 향 죽림

鎭/진압/누를 澹/담박할/조용할다 沉/가라앉을 烟/연기
진 담 침 연

響/울림
향

☞달을 토해내는 가벼운 구름 꽃다운 나무는 맑은 연기에 잠기고 밤이 깊어 고요한 외딴 마을 맑은 샘물이 대숲을 울리네

⊙竹泉 金鎭圭 1658(孝宗 9)~1716(肅宗 42) 朝鮮 肅宗
죽천 김 진 규 효종 숙종 조선 숙종

때의 判書 1686년(肅宗 12) 文科에 及第, 禮曹判書에
판서 숙종 문과 급제 예조판서

이르렀다 宋時烈을 尊敬하였으며, 性格이 强直하고 直諫을
송시열 존경 성격 강직 직간

잘해서 종종 肅宗의 노여움을 샀다.
숙종

巨濟,德山 등지로 流配되었다가 59세에 죽었다,文章을 잘
거 제 덕 산 유배 문장

하고 글씨에 뛰어났다.

※楓溪夜遲士敬 -老稼齋 金昌業-
풍 계 야 지 사 경 노 가 재 김창업

靑林坐來暝 獨自對蒼峰 先君一片月 來掛檻前松
청림 좌 래 명 독자 대 창 봉 선군 일편 월 내 괘 함 전 송

稼/심을 檻/우리
가 함

☞어둠이 찾아온 푸른 숲에 앉아 나 홀로 마주한 푸른 산.

한 조각달이 그대보다 먼저 난간 앞 소나무에 걸렸네.

⊙

老稼齋 金昌業 1658(孝宗 9)~1721(景宗 1) 朝鮮 後期의
노 가재 김창업 효종 경종 조선 후기

畵家,學者. 벼슬이 敎官에 이르렀고 詩文과 그림이 뛰어났다.
화가 학자 교관 시문

No.314

※瀑布 -夢囈 南 克 寬-
폭포 몽예 남 극 관

白雪掛終古 驚雷殷一壑 晩來更淸壯 高峰秋雨落 囈/잠꼬대
백설 괘 종 고 경 뇌 은 일 학 만래 갱 청 장 고봉 추 우 락 예

☞옛날부터 하얀 눈을 뚫고 온 골짝을 놀라게 하는 천둥소리.
저녁이 되니 더욱 맑고 씩씩하게 높은 봉우리에서 떨어지는
가을비여

⊙夢囈 南克寬 1689(肅宗 15)~1714(肅宗 40) 朝鮮 肅宗
몽예 남 극 관 숙종 숙종 조선 숙종

때義 文人. 領議政 구만의 손자, 文章이 뛰어 났다.
의 문인 영의정 문장

※奉和金稷山詩藁中十絶句 -淸泉 申維翰-
봉 화 김 직 산 시 고 중 십 절구 청천 신유한

朱軒附綠池 日照幽蘭靜 中有鼓琴人 猗巾坐花影
주 헌 부 록 지 일조 유 란 정 중유 고 금 인 의 건 좌 화 영

稷/기장 藁/마를 維/바/밧줄 翰/날개 蘭/난초 鼓/북칠
직 고 유 한 란 고

猗/아/감탄하여 부르는 소리
의

☞푸른 물을 굽어보는 붉은 추녀에 해 비치니 고요한 난초.

그 가운데 거문고 타는 사람 기울어진 두건으로 꽃그늘에 앉았네

⊙清泉 申維翰 1681(肅宗 7)~? 朝鮮 肅宗 때의 文章家.
청천 신유한 숙종 조선 숙종 문장가

1713(肅宗 39)科擧에 及第, 1719년 製述官이 되어
숙종 과거 급제 제술 관

南泰耆를 따라 日本에 갔다, 벼슬은 奉常僉正에 그쳤으나
남태기 일본 봉 상 첨정

文章에 뛰어났으며 詩에 傑作이 많다.
문장 시 걸작

No.315

※磧川寺過方丈英禪師 -清泉 申維翰-
적 천 사 과 방장 영 선 사 청천 신유한

掃石臨流水 問師何處來 師言無所住 偶與白雲回
소 석 임 류 수 문 사 하처 래 사 언 무 소 주 우 여 백운 회

磧/서덜/냇가에 모래기 쌓여있는 곳 禪/봉선/하늘에 제사지내다 翰/날개
적 선 한

물가에 돌을 쓸며 스님 어디서 오시느냐 물으니
머무는 데 없이 흰 구름과 짝하여 다닌다네
낱말풀이/ 方丈:和尙 /절에서 주지가 거처하는 방
방장 화상

※夜 坐 -圓嶠 李匡師-
야 좌 원교 이광사

百鳥捿皆穩 寒蛩響獨哀 片雲依石在 孤月照鄕來
백 조 서 개 온 한 공 향 독 애 편운 의 석 재 고월 조 향 래

嶠/뾰쪽하게 높을 捿/살 穩/평온할 蛩/귀뚜라미 響/울릴
교 서 온 공 향

☞새들은 모두 깃들어 平穩한데 슬픈 귀뚜라미 소리.
평온

조각구름은 돌에 依支해 있고 시골을 비춰 오는 외로운 달.
의지

⊙圓嶠 李匡師 1705(肅宗 31)~1777(正祖 1) 朝鮮 後期義
원교 이광사 숙종 정조 조선 후기 의

書道家, 큰 아버지 眞儒의 事件에 連坐되어 富寧 薪知島
서도 가 진유 사건 연좌 부 령 신 지 도

등지로 流刑生活 33년만에 謫地에서 죽었다, 眞草篆隷의
유형 생활 적 지 진초 전 예

獨特한 體를 세워 朝鮮 書藝中興에 크게 이바지 하였다.
독특 체 조선 서예 중흥

謫/귀양갈 篆/전자/지나라 隷/불을
적 전 예

※柳浦牧笛 -息山 李滿敷-
유 포 목 적 식 산 이만부

短髮尺餘兒 大牛能自領 晩郊笛一聲 渡水入山影 敷/펼
단발 척 여 아 대 우 능 자 령 만 교 적 일 성 도 수 입산 영 부

晩/저물 郊/성밖
만 교

☞한 자 남짓 짧은 머리 아이 그 큰 소를 넉넉히 부리네.
저문 들에 피리 한 소리 시내 건너 산그늘로 들어가네.

⊙息山 李滿敷 1664(玄宗 5)~1732(英祖 8) 朝鮮 英祖 때
식 산 이만부 현종 영조 조선 영조

의 學者,神氣가 超越하였고 文章에 能하였으며 글에 있어서
학자 신기 초월 문장 능

通하지 않는 것이 없었고 孝友에 篤實하여 兄弟와 宗黨에
통 효우 독실 형제 종 당

또한 능하여 古篆八分體와 鐘鼎의 體를 잘 썼다.
고 전 팔분 체 종정 체

No.316

※江行 -聖齋 李匡呂-

湖村收宿雨 破色澹淸晨 岸岸篷低濕 沙行不見人
수 숙우 파색 담 청 신 안 안 봉 저습 사 행 불 견 인

匡/바를 呂/음률 澹/담박할 岸/언덕 篷/뜸/배지붕 덮개
광 려 담 안 봉

☞오랜 비가 걷힌 호수 마을에 물결도 고요한 맑은 새벽
언덕마다 배 안이 젖고 사람도 안 보이는 모래밭

⦿聖齋 李匡呂 朝鮮 英祖 때의 學者 文章이 뛰어났으며,
성 재 이 광 려 조선 영조 학자 문장

學行이 높아 當時 士林의 제1위를 차지하였다, 薦擧를 받아
학행 당시 사림 천거

參奉이 되었다,
참봉

※田家 -惠寰 李用休-
전가 혜 환 이 용 휴

婦坐掐兒頭 翁傴掃牛圈 廷堆田螺殼 廚遺野蒜本
부 좌 도 아 두 옹 구 소 우 권 정 퇴 전라 각 주 유 야 산 본

寰/畿內/천자가 관활하는 땅, 掐/꺼낼/퍼내다 傴/구부릴
환 기내 도 구

螺/소라 殼/껍질 廚/부엌 蒜/달래 齋/재계할
라 각 주 산 재

☞앉아서 아이 머리 다독이는 아낙 구부리고 외양간 치는
늙은이 뜰에는 우렁이 껍질 쌓여있고 부엌에는 마늘 줄기가
흩어져 있다.

⦿惠寰齋 李用休 朝鮮 正祖 때義 文人 文名이 높았다,
혜 환 재 이 용 휴 조선 정조 의 문인 문명

No.317

※早秋歸洞陰蔽廬晩步溪上作　　　-薑山 素玩亭 李書九-
조추 귀 동 음폐 려 만 보 계 상 작　　　강 산 소 완 정 이서구

蔽/덮을　薑/생강　玩/희롱할
폐　강　완

家近碧溪頭 日夕溪風急　脩林不逢人 水田鷺影立
가 근 벽계 두 일석 계 풍 급 수 림 불 봉 인 수전 로 영 립

脩/포/고기를 말려 만든 반찬
수

☞집은 푸른 시내 머리 시내바람 선선한 해 저물녘, 큰 숲엔 만나는 사람 없고 논 가운데 서있는 해오라기 그림자.

⊙素玩亭 李書九 **1754(**英祖 **30)~1825(**純祖 **25)** 朝鮮 純祖
소 완 정 이서구 영조 순조 조선 순조

때의 大臣.號**는** 惕齋, **1774(**英祖 **50)** 文科**에** 及第, 校理,
대신 호 척 재 영조 문과 급제 교리

戶曹判書,弘文館 大提學**을 거쳐** 右議政**에 이르렀다** 正祖 **때**
호조 판서 홍문관 대제학 우의정 정조

朴齊家, 李德懋, 柳得恭**과 함께** 漢學 四家**로 알려졌다**
박제가 이덕무 유득공 한학 사 가

※次韻南雨村進士寄示春日山居　　　-紫霞 紅亭 申 緯-
차운 남 우 촌 진사 기 시 춘일 산거　　　자 하 홍 정 신 위

縣市人心惡 山村物性良　茅柴四三屋 鷄犬畵羲皇
현 시 인심 악 산촌 물성 량 모 시 사 삼 옥 계견 화 희 황

霞/놀 /개여뀌 緯/씨　茅/띠　柴/섶　羲/숨/내쉬는 숨
하 위 모 시 희

☞人心**조차 모진** 都市 物件 性質**까지** 溫純**한** 山村.
인심 도시 물건 성질 온순 산촌

띠와 잎나무로 된 서너 집이지만　닭 개들도 다 太平聖代
태평성대

○낱말풀이/伏羲;中國 古代 傳說上**의 임금. 처음으로** 百姓**에게**
복 희 중국 고대 전설 상 백성

고기집이 사냥,牧畜 등을 가르치고 八卦를 만들었다고 함,
목축 팔괘

次韻:漢詩에서 남이 지은 詩의 韻字를 따서 詩를 지음, 또는
차운 한시 시 운자 시

그 方法 韻字:詩나 賻의 구말에 붙이는 글자　賻/賻儀=거동
방법 운자 시 부 부 부의

⊙紫霞 申緯 1769(英祖 45)~1847(玄宗 13)朝鮮 末期의
자 하 신위 영조 현종 조선 말기

學者 어려서부터 神童이라 불렀다,. 14세 때 正祖가 宮中에
학자 신동 정조 궁중

불러들여서 신동 이라 불렀고, 크게 칭찬하고 사랑하였다.

Quangpraha

No.318

※石瓊樓雜絶 -瓛齋 朴 珪 壽-
석 경 루 잡 절 환 재 박 규 수

幅巾驢子背 出郭上山樓 山樓臨澗壑 曉凉翻似秋
폭 건 려 자 배 출 곽 상산 루 산 루 임 간 학 효 량 번 사 추

瓛/옥홀/재갈 齋/재계 珪/홀/圭의고자/모서리 幅/폭/너비
환 재 규 규 폭

郭/성곽 澗/계곡의시내 壑/골/산골짜기 翻/날 驢/나귀
곽 간 학 번 려

☞頭巾 쓰고 당나귀 타고 城郭을 나서 오르는 산 望樓. 山
두건 성곽 망루 산

望樓에서 산골짜기 내려다보니 서늘한 새벽 氣運이 도리어
망루 기운

가을 같네.

○낱말풀이/ 幅巾:한 폭의 천으로 만든 두건의 하나, 隱士가
폭 건 은사

썼음, 道服에 갖추어서 머리에 쓰던 건.
도복

⊙瓛齋 朴珪壽 1807(純祖 7)~1876(高宗 13)朝鮮 高宗 때의
환 재 박규수 순조 고종 조선 고종

宰相. 燕巖 朴趾源의 孫子 1848(憲宗 14) 文科에 及第
재상 연암 박지원 손자 헌종 문과 급제

1864(高宗 1)兵曹參判, 大提學을 歷任
고종 병조 참판 대제학 역임

No.319

※蓼花白鷺 -白雲居士 李奎報-
요화백로 백운거사 이규보

前灘富魚蝦 有意碧波入 見人忽驚起 蓼岸還飛集
전탄부어하 유의 벽파 입 견 인 홀 경기 요 안 환 비 집

翹頸待人歸 細雨毛衣濕 心猶在灘魚 人道忘機立
교 경 대인 귀 세우 모의 습 심 유 재 탄 어 인도 망기 립

蓼/여뀌/신고함의 비유 翹/꼬리긴 깃털 猶/오히려 灘/여울
요 교 유 탄

☞물고기 많은 앞 여울에 생각이 있어 물결을 가르고 들어갔지 사람을 보자 갑자기 놀라 일어나 날아서 다시 모인 여뀌 언덕. 목을 세우고 사람 가기 기다리느라 보슬비에 다 젖은 털옷 마음은 아직 여울 고기에 있건만 세상을 잊고 서 있다고 말하는 사람들

⊙白雲居士 李奎報 **1168(**毅宗 **21)~1241(**高宗 **28)** 高麗
백운거사 이규보 의종 고종 고려

高宗 **때의** 文章家, 詩,**거문고, 술을 좋아하여** 三酷好先生**이라 일컬었으며** 氣槪**가 있고 성격이** 剛直**해서** 朝廷**에서는** 狎客**이라** 評**했다, 1218년(**高宗 **20)** 集賢殿大學士, 政堂文學, 太子少傅, 參知政事, 門下侍郞 平章事**로** 官界**에서** 辭退**했다.**
고종 문장가 시 삼 혹 호 선 생 기개 강직 조정 압객 평 고종 집현전 대학 사 정당 문학 태자 소 부 참지 정사 문 하 시 랑 평장사 관계 사퇴

※行過洛東江 -白雲居士 李奎報-
행 과 낙동강 백운거사 이규보

百轉靑山裏 閑行過洛東 草深猶有路 松靜自無風
백 전 청산리 한행 과 낙 동 초 심 유 유 로 송 정 자 무 풍

秋水鴨頭綠 曉霞猩血紅 誰知倦遊客 四海一詩翁
추수 압 두 록 효 하 성 혈홍 수 지 권 유 객 사해 일 시 옹

奎/별이름 洛/강이름 鴨/오리 霞/놀 猩/성성이 倦/게으를
규 낙 압 하 성 권

☞푸른 산 굽이돌아 한가로이 洛東江**을 지나네.**
낙동강

숲에는 아직도 이슬이 맺혀 있고 바람 없이 조용한 솔밭. 오리 노는 湖水(호수)는 한껏 푸르고 새벽안개 햇빛 받아 피 빛이네. 그 누가 알리 이 나그네가 온 世上(세상) 떠도는 詩人(시인)인 줄

○낱말풀이/百轉(백전):꼬불꼬불한 산길 鴨頭(압두):오리가 고개를 내놓고 헤엄치는 모양 猩血紅(성혈홍);원숭이가 피처럼 빨갛다 曉霞(효하):새벽 안개 倦游客(권유객);詩人(시인), 風流客(풍류객) 四海(사해);온 世上(세상)

No.320

※東萊雜詩(동래잡시) -雪谷(설곡) 鄭(정) 誧(포)-

落日逢僧話(낙일봉승화) 春郊信馬行(춘교신마행) 烟消村巷永(연소촌항영) 風軟海波平(풍연해파평)

老樹依巖立(노수의암립) 長松擁道迎(장송옹도영) 荒臺漫無址(황대만무지) 猶說海雲名(유설해운명)

萊(래)/명아주 誧(포)/도울 郊(교)/성밖 亢(항)/목/목구멍 軟(연)/연할 擁(옹)/안을 漫(만)/질펀할 址(지)/터

☞저문 날에 스님 만나 이야기 하고 봄 들판을 말에 맡겨가네 煙氣(연기) 사라지자 마을 골목이 길고 바람이 부드러워 바다 물결 잠잠하네

늙은 나무 바위를 기대섰고 큰 소나무 길을 끼고 맞이하네.
거친 樓臺(누대)는 멀어 터도 없는데 그래도 아직 海雲臺(해운대)라 부르네.

※浮碧樓 -牧隱 李穡-
부 벽 루 목은 이색

昨過永明寺 暫登浮碧樓 城空月一片 石老雲千秋
작 과 영 명 사 잠 등 부 벽 루 성 공 월 일 편 석 노 운 천추

麟馬去不返 天孫何處遊 長嘯倚風磴 山靑江水流
인 마 거 불 반 천손 하처 유 장소 의 풍 등 산 청 강 수류

暫/잠시 麟/기린 嘯/휘파람불 倚/의지할 磴/돌비탈길
잠 인 소 의 등

☞**엊그제 永明寺를 지나 잠시 浮碧樓에 올랐지**
영 명 사 부 벽 루

빈 성터에는 조각달 돌은 오래되어 千年 구름
천년

기린 말은 가서 돌아오지 않고 王孫은 어디에 노닐까
왕손

휘파람으로 돌계단에 기대니 산은 푸른 빛 흐르는 강물.

一片:**한 조각** 天孫;**동명왕** 風磴;**바람이 불어오는 돌계단**
일편 천손 풍 등

Quang Nguyen Vinh

No.321

※帆急 -惕若齋 金九容-
법 급 척 약 재 김구용

帆急山如走 舟行岸自移 異鄕頻問俗 佳處强題詩
범 급 산 여 주 주행 안 자 이 이향 빈 문 속 가 처 강 제 시

吳楚千年地 江湖五月時 莫嫌無一物 風月也相隨
오 초 천년 지 강호 오월 시 막 혐 무 일 물 풍월 야 상 수

帆/돛 惕/두려워할 頻/자주 嫌/싫어할
범 척 빈 혐

☞돛이 빠르니 산이 달리는 듯 배가 가니 언덕은 저절로 옮아가고. 他鄕이라 자주 묻는 風俗 絶景이라 굳이 짓는 시. 吳나라 楚나라는 千年의 땅 강과 湖水는 한창 五月. 物件 하나 없다고 서운해 말지니 바람과 달이 서로 따르는 것을.
(타향 풍속 절경 오 초 천년 호수 오월 물건)

⊙惕若齋 金九容 1338(忠肅王 復位 7)~1384(禑王 10)高麗 恭愍王 때의 學者, 恭愍王 때 16세로 進士에 合格 그후 文科에 及第, 民部議郞 兼成均館 直講을 지낸후 後輩를 지도, 많은 제자를 養成함 愍/근심할
(척 약 재 김 구 용 충숙왕 복위 우왕 고려 공민왕 학자 공민왕 진사 합격 문과 급제 민부 의랑 겸 성균관 직강 후배 양성 민)

※洪武丁巳奉使日本作 -圃隱 鄭夢周-
홍무 정사 봉사일본작 포은 정몽주

水國春光動 天涯客未行 草連千里綠 月共兩鄕明
수국 춘광 동 천애 객 미 행 초 연 천리 록 월 공 양 향 명

遊說黃金盡 思歸白髮生 男兒四方志 不獨爲功名
유 세 황 금 진 사 귀 백발 생 남아 사방 지 부 독 위 공 명

☞섬나라에 봄빛 바뀌어도 돌아가지 못 하는 낯선 곳 나그네.
천리에 이어진 푸른 풀 두 나라를 모두 비치는 달.
유세하는라 돈은 다 떨어지고 돌아가고 파 생긴 白髮(백발).
사나이 큰 뜻은 단지 功名(공명)만은 아니리.

○낱말풀이/ 水國(수국);섬나라 일본 天涯(천애)/하늘 가 四方志(사방 지):큰 뜻
遊說(유세);諸侯(제후)를 두루 찾아보고 자기의 政見(정견)을 獻策(헌 책)하고 勸諭(권유)함
각지로 돌아다니며 자기 또는 소속 정당의 주장을 선전하는 일. 功名(공명);功勳(공훈)과 名譽(명예), 공을 세워 이름이 널리 알려짐.

No.322

※曉過僧舍(효 과 승사) -泰齋(태 재) 柳方善(유방선)-

東嶺上初暾(동 령 상 초 돈) 尋僧叩竹門(심 승 고 죽 문). 宿雲留塔頂(숙 운 유 탑정) 積雪擁籬根(적설 옹 리 근).
小逕連深洞(소 경 연 심 동) 疎鍾徹近村(소 종 철 근 촌). 蕭然吟未已(소연 음 미 이) 淸興到黃昏(청 흥도 황혼).

暾(돈)/아침해 叩(고)/두드릴 擁(옹)/안을 籬(리)/울타리
逕(경)/소로 徹(철)/통할

☞동쪽 산에 비로소 오른 아침 해 스님 찾아 대 사립문 두드리고 밤을 지난 구름은 탑 꼭대기에 머물렀는데 울타리 밑을 안고 있는 쌓인 눈.

오솔길은 깊은 골짝에 이어지고 이웃 마을로 울리는 드문 종소리 조용히 쉬지 않고 시를 읊으니 맑은 흥취는 황혼에 이르고.

※獨坐 -四佳 徐居正-
독좌 사 가 서거정

獨坐無來客 空庭雨氣昏 魚搖荷葉動 鵲踏樹梢翻
독좌 무 래 객 공정 우기 혼 어 요 하 엽 동 작 답 수 초 번

琴潤絃猶響 爐寒火尙存 泥途妨出入 終日可關門
금 윤 현 유 향 노 한 화 상 존 니 도 방 출입 종일 가 관 문

搖/흔들일 翻/날 潤/젖을 尙/오히려 妨/방해할
요 번 윤 상 방

☞홀로 앉았으니 찾는 이 없고 비 뜰에는 어두운 비 기운
연잎을 흔드는 고기 나뭇가지 밟아 뒤치는 까치
거문고는 젖었지만 줄은 아직 울리고
화로는 차나 그대로 있는 불
출입이 어려운 진흙길이라 종일 문 닫고 있을 수밖에.

⊙四佳亭 徐居正 1420(世宗 2)~1488(成宗 19) 朝鮮 初期의
사가정 서거정 세종 성종 조선 초기

學者.1444년(世宗 26)文科에 及第. 벼슬이 左贊成에
학자 세종 문과 급제 좌 찬성

이르렀고 成宗 때에 純誠明亮佐理功臣의 호를 받고
성종 순성 명량 좌리 공신

達成君에 封君되었다, 6대임금을 섬겨 육조 한 것이 45년,
달성 군 봉군

科擧試驗官을 23번 지낸바 있다. 大司憲을 두 번이나 하였음.
과거 시험 관 대사헌

No.323

※堤川 -四佳亭 徐居正-
제 천 사가정 서거정

邑古江山勝 亭新景物稠. 烟光浮地面 嶽色出墻頭.
읍 고 강 산 승 정 신 경물 조 연 광 부 지 면 악 색 출 장 두

老樹參天立 寒溪抱野流. 客來留信宿 詩思轉悠悠.
노 수 참천 립 한 계 포 야류 객 래 유 신 숙 시사 전 유 유

堤/둑 稠/빽빽할 嶽/큰산 悠/멀
제 조 악 유

☞**邑은 물과 산이 아름다운 곳 새로 丹粧한 亭子에 調和로운 景致. 연기는 땅에 떠 있고 산 빛은 담장 너머로 솟아오르는데 늙은 소나무는 하늘로 쭉쭉 뻗고 시냇물은 들을 안고 흐른다. 이틀을 나그네로 머무나니 아련히 떠오르는 詩想이여.**

○낱말풀이/ 景物稠;경치가 稠密함 參天立:하늘에 우뚝 솟아 있음 信宿;이틀을 묵음

※永興客館夜坐 -梅溪 曺 偉-
영 흥 객관 야 좌 매 계 조 위

淸夜坐虛閣 秋聲在樹間. 水明山影落 月上露華漙.
청야 좌 허 각 추성 재 수 간 수명 산영 락 월 상 로 화 단

怪鳥啼深壑 潛魚過別灣. 此時塵慮靜 幽興集豪端.
괴조 제 심 학 잠어 과 별 만 차시 진려 정 유흥 집 호단

偉/훌륭할 漙/이슬많을 怪/기이할 潛/자맥질할
위 단 괴 잠

灣/물굽이 端/바를
만 단

☞빈 樓閣(누각)에 앉은 맑은 이 밤　숲 속에서 가을 소리.

산 그림자 맑은 물에 떨어지고　달 오르니 이슬 꽃 둥글다.
깊은 골에선 怪狀(괴상)한 새 울고　잠기는 물고기 다른 灣(만)을 지나

간다 이런 때 세상 생각 끊어지고 그윽한 흥취 붓 끝에
모인다

○낱말풀이/灣(만):물굽이, 육지로 쑥 들어온 바다의 부분

豪端(호단):붓 끝 漙(단):이슬이 많다, 둥글다　豪(호)/호걸/귀인

⊙梅溪(매계) 曺偉(조위) 1454(端宗(단종) 2)~1503(燕山君(연산군) 9) 朝鮮(조선) 宣祖(선조) 때의

學者(학자). 1474(成宗(성종) 5)文科(문과)에 及第(급제), 벼슬은 戶曹參判(호조 참판)에 이름,

博學(박학),麗文(여문)의 文士(문사)로서 門下(문하)에 弟子(제자)가 많았다,

Nicole Avagliano

No.324

※次睡軒 -濯纓
차 수 헌 탁 영

金馹孫-
김일손

落日長程畔 把盃特勸君. 危樓天欲襯 官渡路橫分.
낙 일 장 정 반 파 배 특 권 군 위루 천 욕 친 관 도 로 횡 분

去客沒孤鳥 浮生同片雲. 江風不解別 吹棹動波文.
거 객 몰 고 조 부생 동 편 운 강풍 불 해 별 취 도 동 파 문

濯/씻을 馹/역말 程/단위 畔/두둑 把/잡을 襯/속옷
탁 일 정 반 파 친

棹/노
도

☞해 떨어지는 기다란 길 가에서 그대에게 勸하는 離別의 술
권 이별

높은 다락집은 하늘에 닿을 듯하고 벼슬길은 뒤엉키었네

나그네는 외로운 새처럼 잠기고 떠도는 人生은 마치 조각구름
인생

강바람은 離別을 모르는 듯 노에 불어 물결무늬 일으키네.
이별

○낱말풀이/睡軒:權五福의 號 /1467(세조13) 朝鮮
수 헌 권오복 호 조선

成宗때의 學者 / 次:뒤를 잇다 襯:가까이 하다, 닿을 듯하다
성종 학자 차 친

⊙濯纓 金馹孫 1464(世祖 10)~1498(燕山君 4)朝鮮 燕山君
탁 영 김일손 세조 연산군 조선 연산군

때의 學者.1486(成宗 17)文科에 及第 , 成宗朝에
학자 성종 문과 급제 성종 조

春秋館記事官이 되어 成宗實錄의 史草를 썼다, 일찍이
춘추관 기사관 성종 실록 사초

스승으로 섬긴 金宗直을 닮아 詞章에 能했으며 當時
김종직 사 장 능 당시

高官들의 腐敗와 不義를 糾彈하였다 糾/꼴 彈/탄알
고관 부패 불의 규탄 규 탄

※我亦步韻(아역보운) -睡軒(수헌) 權五福(권오복)-

客裏羈懷惡(객리기회악) 逢君又送君(봉군우송군). 孤帆和鴈落(고범화안락) 遠岫點螺分(원수점라분).

樓上一杯酒(누상일배주) 洛東千里雲(낙동천리운). 蒼茫天欲暮(창망천욕모) 吟斷不成文(음단불성문).

羈(기)/굴레 鴈(안)/기러기 螺(라)/소라 吟(음)/읊을

☞**나그네 情(정)이 모진 客地(객지)라 만났다가 또 보내는 그대.**

기러기 모였다 흩어지는 외로운 돛 먼 산굴은 소라를 점찍은 듯. 이 다락에는 한 잔의 술 洛東江(낙동강)에는 千里(천리)의 구름

흐리멍덩 저무는 해에 시는 끊어져 이루지 못하고.

⊙睡軒(수헌) 權五福(권오복) 1467(世祖(세조) 13)~1498(燕山君(연산군) 4) 朝鮮(조선) 成宗(성종) **때의** 學者(학자) 金宗直(김종직)**의** 弟子(제자), 1486(成宗(성종) 17)司馬(사마)**를 거쳐** 文科(문과)**에** 及第(급제), 文狀(문장) 筆法(필법)**이** 卓越(탁월) **하여** 翰苑(한원)**에 뽑혀** 玉堂(옥당)**에 들어갔다.**

No.325

※曉望(효망) -挹翠軒(읍취헌) 朴 誾(박은)-

曉望星垂海(효망성수해) 樓高寒襲人(누고한습인). 乾坤身外大(건곤신외대) 鼓角坐來頻(고각좌래빈).

遠峀看如霧(원수간여무) 喧禽覺已春(훤금각이춘). 宿酲應自解(숙정응자해) 詩興謾相因(시흥만상인).

挹(읍)/읍 翠(취)/물총새 誾(은)/온화할 垂(수)/드리울 襲(습)/엄습할

喧(훤)/의젓할 峀(수)/산굴 謾(만)/속일 酲(정)/숙취

☞별이 바다에 드리워진 새벽 높은 다락에 추위가 掩襲(엄습)하고. 몸밖에 큰 하늘과 땅 앉아 있어도 자주 들리는 북 피리 소리. 멀리 바라보면 안개와 같은 산굴 시끄러운 새소리 봄을 깨닫게 하고. 어젯밤 술은 풀어야 하나 부질없이 일어나는 詩興(시흥)이여.

⊙挹翠軒(읍취헌) 朴誾(박은) 1479(成宗(성종) 10)~1504(燕山君(연산군)10) 朝鮮(조선) 燕山君(연산군) 때의 青年學者(청년 학자)1496(燕山君(연산군) 2)18세 때에 及第(급제), 弘文館正字(홍문관 정자),修撰(수찬)을 거쳐 經筵(경연)에5년 동안 재직하였다, 바른 말을 잘하므로 燕山君(연산군)에게 꺼림을 받았고, 또한 元老(원로)인 成俊(성준), 李克均(이극균), 柳子光(유자광)등을 彈劾(탄핵)하다가 罷職(파직)되었다,
4세때 글 읽기를 시작하고 8세 때 大義(대의)를 알았고,15세에 文章(문장)이 能通(능통)한 聰明(총명)한 才士(재사) 였다. 撰(찬)/지을 筵(연)/대자리

No.326

※詠夕(영석) -象村(상촌) 申欽(신흠)-

明月出林表(명월출림표) 暗泉鳴石根(암천명석근). 磬殘雲外寺(경잔운외사) 砧急崦中村(침급엄중촌).
宿鳥尋巢疾(숙조심소질) 流螢帶露翻(유형대로번). 獨吟仍不寐(독음잉불매) 霞影落山門(하영락산문).

欽(흠)/공경할 磬(경)/경쇠/다하다 砧(침)/다듬이돌 崦(엄)/산이름 巢(소)/집 翻(번)/날 仍(잉)/인할

☞숲 속 나무 끝에서 나오는 밝은 달빛 돌 뿌리 울리는 어두운 샘물
경쇠소리 구름 밖 절에 남고 다듬이소리 산마을에 잦네
보금자리 찾기에 바쁜 새들 이슬을 차고 나르는 반딧불.
혼자 읊조리느라 이내 잠 못 드나니 山門(산문)에 떨어지는 놀 그림자여

◉象村(상촌) 申欽(신흠) 1566(明宗(명종) 21)~1628(仁祖(인조) 6) 朝鮮(조선) 仁祖(인조) 때의 領議政(영의정). 1586(宣祖(선조) 19)文科(문과)에 及第(급제), 1627(仁祖(인조) 5)領議政(영의정)에 이르렀다.
右議政(우의정)에 올라있을 때 大提學(대제학)을 兼(겸)하였으며, 象緯(상위),律法(율법), 算數(산수),醫卜(의복)에 관한 書籍(서적)에 까지 通(통)했으며 六經(육경)을 바탕으로 하는 文章(문장)이 또한 뛰어나, 月沙(월사), 谿谷(계곡),澤堂(택당)과 더불어 4文章家(문장가)라 불리었다. 글씨도 잘 썼고 李恒福(이항복)等(등)과 함께 "宣祖(선조)實錄(실록)"의 編纂(편찬)事業(사업)에 參加(참가) 하였다.

No.327

※溪亭(계정) -愚伏(우복) 鄭經世(정경세)-

溪水淸如鏡(계수청여경) 茅堂狹似船(모당협사선). 初回大槐夢(초회대괴몽) 聊作小乘禪(료작소승선).
投飯看魚食(투반간어식) 停歌待鷺眠(정가대로면). 柴門終日掩(시문종일엄) 孤坐意悠然(고좌의유연).

愚/어리석을 狹/좁을 槐/홰나무 聊/기울 禪/봉선 掩/가릴
우 협 괴 료 선 엄

☞거울처럼 맑은 시냇물 배처럼 좁은 띠 집.

처음 大槐의 꿈에서 깨어나 애오라지 닦는 소승의 선정.
대 괴

밥을 던져 고기들이 먹는 것보고 노래 멈추고 해오라기 잠들기를 기다리고. 사립문 닫고 진종일 외로이 앉아 있으니 한가한 마음.

○낱말풀이/ 大槐夢:南柯一夢, 즉 한 때의 헛된 꿈
대 괴 몽 남가일몽

槐/三公의자리 小乘:"佛敎"知識과 理論에 依해서가 아니라
괴 삼공 소승 불교 지식 이론 의

修行을 통한 개인의 解脫을 가르치는 敎法
수행 해탈 교법

⊙愚伏 鄭經世 1563(明宗 18)~1633(仁祖 11)朝鮮 仁祖
우 복 정경세 명종 인조 조선 인조

때의 性理學者. 柳成龍에게 學文을 닦고 1582(宣祖
성리학 자 유성룡 학문 선조

15)進士에, 1586년 謁聖科에 及第 經筵官으로 宣祖에게
진사 알성과 급제 경연관 선조

侍講하고, 正言 左承旨를 거쳐 嶺南 按察使로 倭亂을 겪은
시강 정언 좌승지 영남 안찰사 왜란

뒤의 民生을 잘 보살폈다, 吏曹判書兼 大提學에 이르렀다
민생 이조 판서 겸 대제학

謁/아뢸 侍/모실 按/누를
알 시 안

No.328

※花石亭 -栗谷 李 珥-
화 석 정 율곡 이 이

林亭秋已晚 騷客意無窮. 遠水連天碧 霜楓向日紅.
임 정 추 이 만 소객 의 무 궁 원 수 연 천 벽 상풍 향일 홍

山吐孤輪月 江含萬里風. 塞鴻何處去 聲斷暮雲中.
산 토 고 륜 월 강 함 만리 풍 새 홍 하 처 거 성 단 모운 중

騷(소)/떠들

☞숲에는 가을 저물어 끝없는 詩人(시인)의 마음.

물빛은 하늘에 닿아 푸르고 햇빛 따라 불타는 서리 丹楓(단풍).

산은 둥근 달 吐(토)해내고 강은 萬里(만리)의 바람 머금었구나.

기러기는 어디로 가는가 저무는 구름으로 사라지는 소리

○낱말풀이/ 騷客(소객): 시인 塞鴻(새 홍):북쪽에서 온 기러기

Karol Wiśniewski

No.329

※齋居有懷錄呈靑城道契權章仲 -西厓柳成龍-
재거유회록정청성도계권장중 서애 유성룡

細雨孤村暮 寒江落木秋. 壁重嵐翠積 天遠雁聲流
세우 고촌 모 한강락목추 벽중람취적 천원안성류

學道無全力 臨岐有晩愁. 都將經濟業 歸臥水雲陬
학도무전력 임기유만수 도장 경제 업 귀와 수운 추

仲(중)/버금 厓(애)/어덕 嵐(람)/남기/산속에 생기는 아지랑이 같은 기운

陬(추)/모퉁이

☞이슬비에 외로운 마을 저물고 차가운 강물에 나뭇잎 떨어지는 가을

벽에는 파란 이끼 쌓이고 하늘 멀리 흐르는 기러기 소리

배움 길에 다하지 못한 힘 갈림길에서 때늦은 후회를

한갓 큰 뜻 품고서 산 좋고 물 좋은 이곳 산기슭으로 왔네.

○낱말풀이/臨岐(임기):갈림길에 임함

⊙西厓(서애) 柳成龍(유성룡) 1542(中宗(중종) 37)~1607(宣祖(선조) 40) 朝鮮(조선) 宣祖(선조) 때의 名相(명상).宣祖(선조)가 名將(명장)을 薦擧(천거)하라고 할 때 權慄(권율),李舜臣(이순신)을 薦擧(천거) 後日(후일) 나라의 干城(간성)이되게 했으며, 1592 壬辰(임진) 倭亂(왜란)을 당해 三南(삼남) 道體察士(도체찰사)가 되어 李如松(이여송)의 後退(후퇴)를 强力(강력)히 막아 前進(전진)케 했으며, 訓練都監制(훈련도감제)를 두어 軍士(군사)를 訓練(훈련)케 하고 다시

領議政에 補職되었다가 辭退하고 1604년(宣祖37)扈聖功臣에
영의정 보직 사퇴 선조 호 성 공신

策錄되었다, 祠堂을 屛山書院뒤에 모시고 廬山 退溪廟에함께
책 록 사당 병산서원 여산 퇴계 묘

모셨다. 禮樂敎化,治兵理財에 이르기 까지 硏究 하지 않는
예악 교화 치병 이재 연구

것이 없었으며, 文章과글씨에도 뛰어났다.
문장

薦/천거할 慄/두려워할 干/방패 扈/뒤따를
천 률 간 호

No.330

※閑居 -希窩 玄德升-
한거 희 와 현덕 승

結茅溪水上 簷影落潭心. 醉睡風吹醒 新詩鳥和音.
결 모 계수 상 첨 영 락 담심 취수 풍 취 성 신 시 조 화음

放牛眠細草 驚鹿入長林. 依杖青松側 千峯紫翠深
방 우 면 세 초 경 녹 입 장 림 의 장 청송 측 천 봉 자취 심

希/바랄 窩/움집 潭/깊을 翠/물총새
희 와 담 취

☞시냇가에 지은 띠 집 못 속에 떨어진 처마 그림자.
취해 졸다가 바람에 깨니 새들은 새로운 詩에 和答하고.
시 화답

풀밭에 졸고 있는 소 숲으로 달아나는 놀란 사슴.
소나무 곁에 지팡이 기대니 봉우리마다 깊어지는 파란빛.
⊙希窩 玄德升
희 와 현덕 승

No.331

※途中 -芝峯 李睟光-
도중 지봉 이 수 광

岸柳迎人舞 林鶯和客吟. 雨晴山活態 風暖草生心.
안류 영 인 무 임 앵 화 객 음 우청 산 활 태 풍 난 초생 심

景入詩中畫 泉鳴譜外琴. 路長行不盡 西日破遙岑.
경 입 시 중 화 천 명 보 외 금 노 장 행 부진 서 일 파 요 잠

譜/족보 芝/지초 晬/돌/처음맞는 생일 鸎/꾀꼬리 岑/봉우리
보 지 수 앵 잠

☞사람 맞아 춤추는 언덕 버들가지
손님 맞아 노래하는 숲 속 꾀꼬리
비 개니 산은 生氣 넘치고 따뜻한 봄바람에 돋아나는 풀
생기
景致는 詩 속의 그림 시냇물 소리는 거문고 가락. 길이 멀어
경치 시
가도 끝없는데 먼 산 붉게 태우는 저녁 놀.

○낱말풀이/ 譜外琴:樂譜 밖의 거문고
보 외 금 악보
破遙岑:멀리 보이는 높고 낮은 산을 붉게 비추어 줌.
파 요 잠

⊙芝峯 李晬光 1563(明宗 18)~1628(仁祖 6)朝鮮 中期의
지봉 이 수 광 명종 인조 조선 중기
名臣. 1585(宣祖 18)文科에 及第, 1592(宣祖 25) 壬辰倭亂
명신 선조 문과 급제 선조 임진왜란
때 慶尙南道 防禦史 趙敬之의 從士官으로 龍仁에서 敗戰,
경상남도 방어 사 조 경 지 종사 관 용 인 패전
우리나라 最初로 西學을 導入 했으며 芝峰類設이란 책을
최초 서학 도입 지 봉 유 설
지어 西洋事情과 天主敎 知識을 紹介했다,
서양사정 천주교 지식 소개
벼슬은 吏曹判書를 지냈다. 死後 領議政에 追贈되었다.
이조 판서 사후 영의정 추증

No.332

※九日陪柳文學登北麓　　-村隱 劉希慶
구일 배 유 문학 등 북록　　춘 은 유희경

松間開小酌 兩岸石苔斑. 亂壑泉聲細 層城夕照寒
송간 개 소 작 양안 석태 반 난 학 천 성 세 층 성 석 조 한

秋陰生古木 雲影度空壇. 巖下崎嶇路 扶笻獨自還
추음 생 고 목 운영 도 공 단 암 하 기 구 로 부 공 독자 환

陪쌓아올릴 麓/산기슭 劉/죽일/베풀 斑/얼룩 壇/단
배 록 유 반 단

崎/험할= 嶇 笻/대이름 峻/높을
기 구 공 준

☞소나무 사이에서 술잔치 양쪽 언덕에는 이끼 아롱진 돌
샘물소리도 조용한 어지러운 골짝에 저녁볕이 차가운 높은 성
가을 그늘은 고목에서 생기고 빈 단을 지나가는 구름 그림자
바위 밑 險峻한 길을 지팡이 짚고 홀로 돌아오네.
험준

※夜發山亭　　-九畹 李春元-
야 발 산 정　　구 원 이 춘 원

被酒獨行時 月沉山逕微. 暗村聞偶語 寒木起群飛.
피 주 독 행 시 월 침 산 경 미 암 촌 문 우 어 한 목 기 군비

吾道優游是 人寰出處非. 孤燈如有意 寂寞照荊扉.
오도 우 유 시 인환 출처 비 고등 여 유 의 적막 조 형 비

畹/밭면적단위 沉/가라앉을 逕/소로길 游/헤엄칠
원 침 경 유

寰/기내/봉건시대 천자가 직할하던 영지 寞/쓸쓸할
환 막

荊/모형나무/가시
형

☞술에 취해 혼자 갈 때 달은 넘어가 어렴풋한 산길
어두운 마을에서 들리는 정겨운 소리 차가운 나무에 새떼는

날고. 나의 도는 넉넉히 한가로운 것
사람의 이 세상은 가는 곳마다 그르니
외로운 등불도 무슨 뜻이 있는 듯 사립문만 쓸쓸히 비추고.

○낱말풀이/ 優遊(우유):한가롭게 지내는 모양, 만족 해 하는 모양, 世情(세정)이나 운에 맡겨 따름.

⊙九畹(구원) 李春元(이춘원) 1571(宣祖(선조) 4)~1634(仁祖(인조) 12)朝鮮(조선) 光海君(광해군)때의 武臣(무신), 光陽(광양)縣監(현감)으로 南原(남원)을 包圍(포위)한 倭敵(왜적)과 싸워 危機(위기)에 빠진 國軍(국군)을 救援(구원)한 바 있다 1617(光海君(광해군) 9) 忠淸道(충청도) 觀察使(관찰사).

Leslin_Liu

No.333

※寄竹陰(기죽음) -東淮 申翊聖(동회 신익성)-

倒屣慇懃意(도사은근의) 披襟更杷杯(피금갱파배), 微明此夜月(미명차야월) 欲落去年梅(욕락거년매).

輭語酣成謔(연어감성학) 新詩老見才(신시노견재). 丁寧後期在(정영후기재) 山郭踏蒼苔(산곽답창태).

淮(회)/강이름 屣(사)/신/짚신 披(피)/나눌 酣(감)/즐길 謔(학)/희롱거릴

☞신을 거꾸로 신은 은근한 그 뜻 다시 마음 터놓고 술잔을 드세.

이 밤 달은 어렴풋이 밝은데 떨어지려는 지난해 그 梅花(매화),

多情(다정)한 말씨는 한창 농지거리가 되고 늙을수록 재주를 보이는 시.

정녕 다시 만날 그 旣約(기약) 저 山城(산성)에서 푸른 이끼를 밟기로 하세.

○낱말풀이/踏蒼苔(답창태):踏靑(답청)놀이. 봄에 파릇하게 난 풀을 밟으며 거는 일,

淸明節(청명절)에 郊外(교외)를 거닐면서 自然(자연)을 즐기는 中國(중국)의 民俗(민속).

⊙東淮 申翊聖(동회 신익성)1588(宣祖(선조) 21)~1644(仁祖(인조) 22) 朝鮮(조선) 宣祖(선조)의 딸인 貞淑翁主(정숙옹주)의 남편. 丙子胡亂(병자호란) 때 南漢山城(남한산성)에서 임금을 모시고 끝까지 굳게 지킬 것을 주장했다, 主和派(주화파) 大臣(대신)들이

世子(세자)를 人質(인질)로 敵(적)에게 보내 和議(화의)를 맺자고 主張(주장)하자 칼로 威脅(위협)까지 해 가며 反對(반대) 했다.

No.334

※蒼水院(창수원) -天坡(천파) 吳(오) 翻(숙)-

歷盡千重險 停車一院深. 山光仍晚照 海氣雜春陰.
역진천중험 정거일원심 산광잉만조 해기잡춘음

舞蝶疑歸夢 顯旌似客心. 聊偸簿書暇 倚枕發孤吟.
무접의귀몽 현정사객심 료투부서가 의침발고음

翻(숙)/날 仍(잉)/인할 旌(정)/기 聊(료)/귀울 偸(투)/훔칠 倚(의)/의지할

☞천 겹의 험한 길 다 지나 수레 멈추면 깊숙한 한 書齋(서재)
산 빛깔은 저녁 햇빛 바다 기운은 봄 그늘에 섞었고. 추는
나비는 故鄕(고향)으로 가는 꿈인가 달린 깃발은 나그네 마음.
애오라지 文書(문서) 뒤지는 틈을 타 베개 기대고 읊은 외로운 詩(시).

○낱말풀이/晩照(만조):저녁때에 비추는 불그레한 햇빛. 偸假(투가):틈을 탐.

※錄呈無何堂(녹정무하당) -湖洲(호주) 蔡裕後(채유후)-

禁漏風交響 華燈月並明. 良宵宜勝集 熱酒且徐傾.
금루풍교향 화등월병명 양소의승집 열주차서경

節意寒將燠 身名寵若驚. 何當謝韁鎖 林水送餘生.
절 의 한 장 욱 신명 총 약 경 하 당 사 강 쇄 임 수 송 여생

蔡/거북 裕/넉넉할 交/사귈 並/아우릴 宜/마땅할
채 유 교 병 의

傾/기울 燠/따뜻할 寵/괴다/사랑하다 韁/고삐 鎖/쇠사슬
경 욱 총 강 쇄

☞물시계는 바람에 울고 꽃 등불과 아울러 밝은 달빛. 좋은 밤에는 의당 훌륭한 모임이라 천천히 기울이는 뜨거운 술. 절개의 뜻은 추워도 빛나고 육신의 명예에는 은총도 놀라는 듯. 어떻게 하면 속박에서 벗어나 숲과 물에서 남은 생을 보낼 고.

○낱말풀이/韁鎖(강쇄):고삐와 쇠사슬의 뜻으로 "남의 속박을 받음"의 比喩(비유)

⊙湖洲(호주) 蔡裕後(채유후) 1599(宣祖(선조) 32)~1660(玄宗(현종) 1)朝鮮(조선) 景宗(경종) 때의 文臣(문신). 1623(仁祖(인조) 1) 文科(문과)에 及第(급제) 玉堂(옥당)에 들어갔다가 賜暇讀書(사가독서)로 湖當(호당)에서 공부 하고 孝宗初(효종 초)에 右副承旨(우부승지)에서 大提學(대제학)에 이르러 10년만에 吏曹判書(이조 판서)로 되었음. 청년 때부터 文才(문재)가 있어, 仁祖(인조), 孝宗(효종) 實錄(실록)을 編纂(편찬)하는데 參與(참여)함.

№335

※三淸洞(삼청동)

-墨軒(묵헌) 龜谷(귀곡) 崔奇男(최기남)-

水應孤吟響 山迎側帽斜. 曙巖晴抱日 春洞暖生霞.
수 응 고음 향 산 영 측 모 사 서 암 청 포 일 춘 동 난 생 하

綠膩仙壇草 香飄玉井花. 窮途羞白髮 何處問丹砂.
녹 니 선 단 초 향 표 옥 정 화 궁도 수 백 발 하처 문 단 사

奇/기이할 帽/모자 曙/새벽 膩/미끄러울
기 모 서 니

☞외로이 읊으니 물이 대답하고 비스듬한 모자로 산이 맞이하네.
새벽 바위는 비 갠 해를 받고 따뜻한 놀 일어나는 봄 골짜기
녹색 기름진 선단의 풀 향기 나부끼는 옥정위 꽃
늙음이 부끄러운 궁한 길 그 어디서 단사를 물어볼까

○낱말풀이/ 仙壇(선단):신선에게 정성을 드리는 단 玉井(옥정):임금이 물을 마시는 우물 窮途(궁도):가기 힘든 丹砂(단사):水銀(수은)과 硫黃(유황)의 化合物(화합물), 長生不死(장생불사) 한다는 약,辰砂(진사)라고도 함.

Kyle Roxas

No.336

※霽朝 -樂靜堂 趙錫胤-
제 조 낙 정 당 조 석 윤

夜半雨鳴林 朝來雲出壑. 濕雁下沙洲 輕烟掩村落.
야반 우 명 림 조 래 운 출 학 습 안 하 사 주 경 연 엄 촌락

寒曦射遠岑 翠黛露隱約. 散步發孤嘯 秋思入寥廓.
한 희 사 원 잠 취대 로 은약 산보 발 고 소 추사 입 요 확

霽/갤 胤/이을 掩/가릴 曦/햇빛 黛/눈썹먹 寥/쓸쓸할 廓/둘레
제 윤 엄 희 대 요 확

☞밤중에 빗발이 숲을 울리더니 구름은 골짜에서 아침 되어 나오고.
모래톱에 내리는 젖은 기러기 가벼운 연기로 가린 마을
먼 산에 비치는 차가운 햇빛에 검푸른 산은 어렵풋 드러나고.
산보하며 외로이 읊조리니 고요함에 드는 가을 시름이여.

⊙樂靜堂 趙錫胤 ?~1654(孝宗 5) 朝鮮 仁祖 때의 文官,
낙 정 당 조 석 윤 효종 조선 인조 문관

1628(仁祖 6)文科에 壯元及第, 侍講院 司書를 비롯하여
인조 문과 장원급제 시강원 사서

修撰,詮郎을 歷任 孝宗 初에 大詞幹이 되어 아는 사건으로
수찬 전 랑 역임 효종 초 대 사 간

말하지 않은 것이 없었고, 玉堂의 장이 되어 政策의 得失을
옥당 정책 득실

極論하였으며, 兩館 大提學으로 仁祖實錄을 編纂함.
극론 양관 대제학 인조 실록 편찬

No.337

※自內殿賜送酒饌 -孤山 尹善道-
자 내 전 사 송 주 찬 고산 윤선도

刺舟尋故園 山色正黃昏. 宮壺誇釣叟 仙樂動江村.
자 주 심 고 원 산색 정 황 혼 궁 호 과 조수 선악 동 강 촌

誰知三日樂 摠是九重恩. 終南長在眼 還向上東門.
수 지 삼일 락 총 시 구 중은 종 남 장 재 안 환향 상 동 문

賜/줄/하사하다 饌/반찬 刺/찌를 誇/자랑할 叟/늙은이 摠/모두
사 찬 자 과 수 총

☞배를 저어 고향 동산을 찾으니 산 빛은 바로 해질 무렵.
낚시꾼에 자랑하는 궁중 술병 강 마을에 진동하는 신선 음악.
누가 알리 사흘의 즐거움이 그 모두 임금님의 은혜인 것을.
멀리 눈에 들어오는 남산 빨리 돌아가 그 동문에 오르리.

○낱말풀이/內殿:대궐 안 깊숙이 있는 궁전 宮壺:궁내에서
내전 궁 호

사용하는 술병 九重:宮中. 宮闕
구중 궁중 궁궐

⊙孤山 尹善道 1587(宣祖 20)~1671(玄宗 12) 朝鮮
고산 윤선도 선조 현종 조선

中期의詩調 作家. 經史百家에 無不通知였고 醫藥, 卜筮,
중기 시 조 작가 경사 백가 무불통지 의약 복서

陰陽地理 에도 精通하고 時調에 더욱 뛰어났다, 南人으로
음양 지리 정통 시조 남인

光海君 때 進士試에 及第, 1628(仁祖 6)鳳林大君(孝宗),
광해군 진사 시 급제 인조 봉림대군 효종

麟坪大君의 師傅가되어 報道한 功이 많아 仁祖와 王妃에게
인평대군 사부 보도 공 인조 왕비

깊은 信任을 받음, 죽은 후 吏曹判書에 追贈되었다.
신임 이조 판서 추증

筮/점대 麟/기린 吏/벼슬아치 贈/보낼
서 인 이 증

No.338

※暮春宿光陵奉先寺 -靜觀齋 李 端 相-
모춘 숙 광릉 봉선 사 정관 재 이 단 상

曉夢回淸磬 空簾滿院春. 暗燈孤坐佛 殘月獨歸人.
효 몽 회 청 경 공 렴 만 원 춘 암 등 고 좌 불 잔월 독 귀 인

馬踏林花落 衣沾草露新. 前溪嗚咽水 似訴客來頻.
마 답 임 화 락 의 첨 초로 신 전계 오열 수 사 소 객 래 빈

曉/새벽 磬/경쇠 院/담 沾/더할 嗚/탄식소리 咽/목멜 頻/자주
효 경 원 첨 오 열 빈

☞**경쇠소리에 깨어난 새벽 꿈 빈 珠簾에 절 봄기운이 가득.**
주렴

부처는 어둔 등불에 외로이 앉았는데 지는 달빛에 홀로 돌아오는 사람.

말은 숲 속의 떨어진 꽃을 밟고 옷은 풀 이슬에 젖는데.

앞 시내의 흐느끼는 몰소리는 마치 손님 자주 오라 呼訴하는 듯.
호소

靜觀齋 李端相 **?~1669(**玄宗 **10)**朝鮮 玄宗 **때의** 學者**,**
정관 재 이단상 현종 조선 현종 학자

1649(仁祖 **27)** 文科**에** 及第 玉堂**이 되었다가** 兵曹正郞**이**
인조 문과 급제 옥당 병조 정 랑

되었다. 1669년 副提學**으로** 書筵**을 모셨다. 죽은뒤**
부 제 학 서연

吏曹判書**를** 追贈**되었다.**
이조 판서 추증

No.339

※過臨川鄕社有感 -竹老 申 活-
과 임 천 향 사 유감 죽 노 신 활

小廟依山麓 孤樓枕水濆. 英風能竪髮 高義可醒昏.
소 묘 의 산 록 고 루 침 수 분 영풍 능 수 발 고의 가 성 혼

學道人何限　撑流子獨存.　至今青史上　天日照淸芬.
학 도 인 하 한　탱 류 자 독 존　지금 청사 상　천일 조 청 분

廟/사당　麓/산기슭　濆/뿜을　竪/더벅머리　撑/버팀목
묘　록　분　수　탱
芬/향기로울
분

☞산기슭에 依支한 작은 祠堂 외로운 다락은 물가에 누었네.
의지　사당
머리털을 일으키는 英雄의 氣風 어두움을 깨우치는 높은 義理
영웅　기풍　의리
도를 배움에 限界가 있으랴 그대 혼자 時流를 버틸 뿐.
한계　시류
지금까지의 青史 위에서 밝은 香氣 비추는 하늘의 해.
청사　향기

○낱말풀이/青史:歷史나 記錄, 종이가 없던 옛날 푸른빛과
청사　역사　기록
기름을 뺀 대 나무 껍질에서 事實을 적은 데서 由來함.
사실　유래
⊙竹老 申活 1576(宣祖 9)~1643(仁祖 21)朝鮮 仁祖 때의
죽 노　신 활　선조　인조　조선　인조
學者, 壬辰倭亂 後 學文熱이 解弛해지자 丹山書院을 세워
학자　임진왜란　후　학문 열　해이　단 산 서원
學文을 奬勵함. 弛/늦출　勵/힘쓸
학문　장려　이　려

No.340

※宿薪院　-雪蕉　崔 承 太-
숙 신 원　설 초　최 승 태

日暮行人少　山家早閉門.　鴈呼沙上月　砧動水南村.
일모　행인　소　산가　조　폐　문　안 호 사 상 월　침　동수　남촌

客裡誰相語 燈前獨斷魂, 筭來行漸遠 明日過西原.
객 리 수 상 어 등전 독단 혼 산 래 행 점 원 명일 과 서 원

蕉/파초 砧/다듬이돌 筭/산가지/수효를 세다 漸/점점
초 침 산 점

☞해가 저무니 行人 적어 일찍 문을 닫는 산 집
행인

모래밭 위의 달을 부르는 기러기 몰아래 南村엔 다듬이 소리
남촌

客地라 그 누구와 이야기 하리 등불 앞에서 혼자 애를 태우네
객지

세어보면 길이 차츰 멀어가니 來日이면 또 西原을 지나가리
내일 서 원

jplenio

No.341

※大興洞　　　　　　　　　　-畏齋 李端夏-
대 흥 동　　　　　　　　　　외 재　이단하

天闢名區秘 人從勝日來. 有流皆作瀑 無石不成臺.
천 벽 명구 비 인 종 승 일 래 유 류 개 작 폭 무석 불성 대

木落寒聲早 峯高暮色催. 却愁山雨至 領略暫徘徊.
목 락 한 성 조 봉 고 모색 최 각 수 산우 지 영략 잠 배회

畏/두려워할 闢/열 峯/봉우리 催/재촉할 徘/노닐= 徊
외 벽 봉 최 배 회

☞이름난 곳의 비밀을 드러낸 하늘 사람은 좋은 날을 가려서 오고. 흐르는 물은 모두 폭포 돌이란 돌은 모두 도는데. 떨어지는 나뭇잎에 가을 소리 빠르고 봉우리 높아 재촉하는 저녁 빛 산에 비가 올까 시름 하다가 알아차리고 잠깐 노닐어 보고.

⊙畏齋 李端夏 1625(仁祖 3)~1686(肅宗 15) 朝鮮 肅宗
외 재 이단하 인조 숙종 조선 숙종

때의 大臣. 宋時烈의 門下生이며 左議政에 이르러
대신 송시열 문하생 좌 의정

行判敦寧府事에 昇進.
행 판 돈녕 부 사 승진

No.342

한시 88수에서 발취 ☞李 昌 東 先生이 勸奬하는 漢詩
이 창 동 선생 권장 한시

青山在屋上 /푸른 산이 지붕 위에 있고.
청산 재 옥 상

流水在屋下 /맑은 물은 집 아래로 흘러가네
유수 재 옥 하

中有五畝園 /그 사이 다섯이랑 넓이의 작은 동산이 있는데.
중유 오 무 원

花竹秀而野 /꽃나무와 대가 잘 가꾸어져 들판 같네
화 죽 수 이 야

畝/이랑
무

☞題目은 司馬光獨樂園/司馬光의 뜰 作者:蘇軾 號는 東坡
제목 사마광 독락 원 사마광 작자 소식 호 동파

中國 北宋 때의 詩人/ 唐宋 八代家의 한 사람으로 中國
중국 북송 시인 당송 팔대 가 중국

第一의 文人이라 일컫음 畝:밭이랑(묘=秦田 24보가 1묘라 함.
제일 문인 무 진 전

No.343

※春望詞 -薛 濤-
춘 망 사 설 도

風花日將老 /꽃잎은 하염없이 바람에 지고.
풍 화 일 장 로

佳期猶渺渺 /만날 날은 아득타, 기약이 없네.
가 기 유 묘 묘

不結同心人 /무어라, 맘과 맘은 맺지 못하고.
불 결 동심 인

空結同心草 /한갓되이 풀잎만 맺으려는가.
공 결 동심 초

薛/맑은대 쑥 濤/큰물결 渺/아득할
설 도 묘

☞薛濤:中國 唐나라 詩人 이 시는 金素月의 스승 金億詩人이
설도 중국 당 시인 김소월 김억 시인

同心草라는 題目으로 飜譯하여 노래 歌辭로 널리 알려져 있다
동심 초 제목 번역 가사

風花:바람에 떨어지는 꽃 日將老:날이 저물려 함
풍 화 일 장 노

No.344

※꽃은 지는데 -女流詩人 李玉峯-
여류시인 이옥봉

有約來何晩 /기필코 오신다고 언약하신 그 님이
유 약 래 하 만

庭梅欲謝時 /매화꽃 다 져도 오시지 않네.
정 매 욕 사 시

忽問枝上鵲 /아침 까치 나무에서 지저귀기에
홀 문 지 상 작

虛畵鏡中眉 /행여나 님 오실까 분단장 한다오.
허 화 경 중 미

☞朝鮮 宣祖 때의 女流詩人.
조선 선조 여류시인

※牽牛 織女도 만난다는데 -明月 黃眞伊-
견우 직녀 명월 황진이

誰斷崑山玉 /그 누가 곤륜산의 옥을 찍어 내어
수 단 곤 산 옥

裁成織女梳 /직녀에세 얼레 빗을 만들어 주고.
재성 직녀 소

牽牛離別後 /그리운 견우님 떠나간 뒤에
견우 리 별후

愁擲客碧稀 /서러워서 허공에 던져 버렸네.
수 척 객 벽 희

伊/저/그/어조사 崑/산이름 裁/마를 梳/빗 擲/던질
이 곤 재 소 척

☞얼마나 서러우면 님이 주신 얼레빗을 던져버렸을까요?
너무나 서러워서 오히려 미운 것일까요?

※눈물로 님의 옷자락을 적시고

君垂別妾淚 /님과 헤어지고 눈물 지우고
군 수 별 첩 루

妾亦淚含離 /저 역시 울면서 이별하려오.
첩 역 루 함 리

願作陽臺雨 /그리운 눈물이 비가 되어서
원 작 양대 우

更灑郎君衣 /정든 님 옷자락에 뿌려볼거나.
경 쇄 랑 군 의

妾/첩/아내/계집 종 郞/사나이/젊은이
첩 랑

☞참으려 참으려 해도 눈물이 납니다
그 눈물이 비가 되고 그 눈물이 가시는 님의 옷자락을 흠뻑 적셔주고 싶답니다

이처럼 切切한 자신의 心境을 表現 하는 것도 詩가 됩니다.
절절 심경 표현 시

※넘치는 離別酒
이별 주

Pixabay

No.345

-于武陵-
우 무 릉

勸君金屈巵 /그대에게 술잔을 권하노니
권 군 금 굴 치

滿酌不須辭 /넘치는 이 술잔을 사양치 말게.
만작 불 수 사

花發多風雨 /꽃이 피면 비바람이 많고
화 발 다 풍우

人生足別離 /사람살이에는 이별고 많나니.
인생 족 별리

于/어조사/가다/행하다 陵/큰언덕 屈/굽을/굽히다 巵/술단지
우 능 굴 치

須/모름지기
수

☞이별에 눈물이 있으며 이별에 술 한 잔이 없을 수 없습니다 헤어지는 아픔을 서로 위로 하며 나누는 이별주 친한 친구가 이별주를 앞에 놓고 말없이 앉았습니다 잔 가득 술을 부어주며 慰勞를 합니다.
위로

※하물며 꽃과 나비도...

黑獚拒門踞 /검둥개는 문간을 막아 쭈그리고 앉아 있고.
흑 황 거 문 거

白鼠下椽走 /흰쥐는 서까래를 타고 달려 내려온다.
백서 하연 주

柳幕鶯爲客 /버드나무는 장막을 치고 꾀꼬리는 손님을 맞이하고,
유막 앵 위 객

花房蝶作郎 /꽃은 나비를 남편으로 삼아 방으로 모시는구나.
화방 접 작 랑

獚/큰개 拒/막을 踞/웅크릴 椽/서까래
황 거 거 연

○낱말풀이/爲:~하다. 배우다,~를 위하여 作郞:서방을 삼다.
위 작 랑

No.346

※달 보며 떠오르는 모습 -李 白-
이 백

牀前明月光 /평상에 비친 밝은 달빛이
상 전 명월 광

疑是地上霜 /땅위에 내린 서리 같구나
의 시 지상 상

擧頭望明月 /머리을 들어보니 밝은 달이요
거 두 망 명 월

低頭思故鄕 /고개를 숙이니 고향 생각이 난다
저두 사 고 향

牀/평상 低/밑/ 속/안
상 저

沈熏의 소설(常綠樹)에는 아래 두 줄을 다음과 같이 풀이했다
심훈 상록수

"머리를 들며 은빛 같은 달빛이 쏟아져 내리고, 머리를 숙이면 꿈에라도 잊지 못하는 故鄕山川이 아련히 떠오른다
고향 산천

※萬物은 陰陽의 調和속에 살아간다
만물 음양 조화

萬物陰陽束 /만물은 음과양으로 묶여 있고.
만물 음양 속

君芳雨露中 /남편과 아내는 한방에서 잠잔다
군 방 우 로 중

客醉人扶去 /손님들이 술에 취하니 사람들이 부축하여 가고.
객 취인 부 거

花紅蜂飛來 /붉은 꽃에는 벌이 꿀을 얻으려 날아온다.
화 홍 봉 비 래

○芳=美人, 女子의 愛稱 雨露之情또는 雲雨之情=사랑하는 行爲
방 미인 여자 애칭 우 로 지 정 운우지정 행위

No.347

※열다섯 소녀 마음은 개울가에 두고 -白湖 林悌-
백호 임제

十五越溪女 /열다섯 예쁜 처녀가 시내를 뛰어 건넜는데.
십 오 월 계 녀

羞人無語別 /남이 부끄러워 말없이 떠났네
수 인 무 어 별

歸來掩重門 /집에 돌아와서 문을 꼭꼭 단속하고
귀 래 엄 중 문

泣向梨花月 /달빛 어린 환한 배꽃을 보고 눈물 뿌렸네
읍 향 리 화월

越/넘을/달리다/뛰어넘다 羞/바칠/부끄러울 掩/가릴
월 수 엄

☞題目: 閨怨=숫처녀의 怨聲
제목 규원 원성

지은이:白湖 林悌 朝鮮 宣祖 때 사람으로 禮曹正郎을 지냈다
백호 임제 조선 선조 예 조 정 랑

越女=美女 越나라 女子 卽 西施 重=거듭 꼭꼭닫다
월 녀 미녀 월 여자 즉 서시 중

重門=대문안에 또 하나의문, 별채로 들어가는 작은 문(겹문)
중 문

※바람없어도 落葉은 지고 -中國 漢나라 陣無己-
낙엽 중국 한 진 무 기

題目/妾薄命
제목 첩 박명

落葉風不起 /바람이 불지 아니해도 나뭇잎은 떨어지고.
낙엽 풍 불 기

山空花自紅 /산은 말이 없어도 꽃은 스스로 붉다.
산 공 화 자 홍

捐世不待老 /당신은 늙기도 전에 세상을 버렸으나
연 세 부 대 노

惠妾無其終 /우리 사랑은 아직 끝나지 않았네(끝없네).
혜 첩 무 기 종

陣/줄 捐/버릴 /妾:여자가 자기를 낮추어 부르는 말
진 연 첩

空: 빌/하늘/없다/窮塞하다 惠妾:小妾이 당신을 사랑하는 마음
공 궁색 혜 첩 소첩

No.348

※送友人/뜬구름을 어찌 잡으랴(友人을 배웅함) -李 白-
송 우인 우인 이 백

浮雲遊子意 /나그네의 마음은 뜬구름 같고
부운 유자 의

落日故人情 /해질 무렵 고향 친구와 헤어지는 안타까운 정
낙 일 고 인정

揮手自玆去 /손을 들어 이로써 작별하려니
휘수 자 자 거

蕭蕭班馬鳴 /말도 소슬하여 우는 구나
소 소 반마 명

揮/휘두를 玆/이/이에/검다/흐리다 簫/퉁소 班/나눌
휘 자 소 반

遊子:나그네 길 떠난 자식 日長:하루가 다르게 길다.
유자 일 장

※비를 머금은 함박꽃이 웃다

谷鳥念晴日 /골짜기에 사는 하늘이 맑게 개기를 바라고,
곡 조 념 청 일

江遠嘯晚風 /강물 저 멀리 저녁바람은 휘파람을 불며온다.
강 원 소 만풍

柳綠帶朝煙 /푸른 버드나무는 아침안개로 띠를 두르고
류 록 대 조 연

芍藥含宿雨 /함박꽃은 빗물을 머금고 잠을 잔다
작약 함 숙우

嘯/휘바람 불 芍/함박꽃 念:생각할, 빌다, 念願하다, 바라다
소 작 염 염원

煙;연기, 안개 含:머금을 품다
연 함

※선 채로 盞을 나누니 離別 情은 더 깊어간다.
잔 이별 정

一杯橋上酒 /다리 가에서 한잔 술을 나누고.
일배 교 상 주

千里漢陽程 /漢陽 千里 길을 떠난다.
천리 한양 정 한양 천리

昔年爲客處 /먼 옛날 손님을 맞이하던 곳에.
석년 위 객 처

今日送故人 /오늘 故鄕 親舊를 배웅한다.
금일 송 고 인 고향 친구

程/단의/길이의 단위 昔/옛/옛날
정 석

Pixabay

No.349

※山中 -栗谷 李珥-
산중 율곡 이이

採藥忽迷路 /약을 캐다가 돌연히 길을 잃고 헤매다 보니
채약 홀 미 로

千峰秋葉裏 /깊은 산속의 가을낙엽 속이네
천봉 추 엽 리

山僧汲水歸 /스님이 물을 길어 돌아가더니
산승 급수 귀

林末茶烟起 /수풀 끝에서 차 달이는 연기 피어오르네.
임 말 차 연 기

汲/길을/물을 길다
급

⊙栗谷 李珥/ 朝鮮 明宗 때 사람, 大司憲大提學 判書를 지냈다. 諡號는 文成公이며 文廟에 배향되었다.
율곡 이이 조선 명종 대사헌 대제학 판서 시호 문 성 공 문묘

No.350

※常山路有感/常山路를 생각하며 -白居易-
상산 로 유감 상산 로 백거이

萬里路長在 /만리 길은 예나 지금이나 변함없이 뻗어 있고
만리 로 장 재

六年今始歸 /이 몸 육년 만에 돌아왔네
육 년 금 시 귀

所經多舊館 /지나는 곳마다 옛날 여관이 그대로 남아 있네
소 경 다 구 관

大半主人非 /태반은 주인이 바뀌었네.
대반 주인 비

⊙白居易 字는 樂天
백거이 자 낙천

常山四皓=東園公,綺里季, 夏黃公,角里先生.
상산 사호 동 원 공 기 리 계 하 황 공 각 리 선생

常山四皓가 살던 常山에서 長安으로 가는 길을 常山路라고
상산 사호 상산 장안 상산 로

한다.

No.351

※夢李白=꿈에 李白을 만남 -杜甫-
몽 이 백 이백 두보

落月滿屋樑 /지는 달은 대들보를 환히 비추어.
락 월 만 옥 량

猶疑見顔色 /밝은 달빛 그대(李白)의 얼굴이 아닐까 疑心했네.
유 의 견 안색 이백 의심

水深波浪闊 /물이 깊어 물결도 널리 일고 있으니
수심 파랑 활

無使蛟龍得 /부디 이무기에게 잡혀먹히지 말기 바라오
무 사 교룡 득

樑/들보/대들보 猶/오히려 蛟/교룡/상어
량 유 교

⊙杜甫 李白/字는 子美 詩聖으로 불린다 中國 唐나라 때
두보 이백 자 자 미 시성 중국 당

詩人 杜甫가 世上에서 가장 친하고 尊敬하는 李白이 달밤에
시인 두보 세상 존경 이백

採石江에 빠져 죽었다, 언젠가 꿈에 보여서 시를 쓴 것인데
채석 강

그 중의 一節이다,
일절

※李白은 太平時代 사람이라 즐거운 詩가 많고 杜甫는
이백 태 평 시 대 시 두보

戰時사람이라 슬픈 詩가 많다.
전시 시

※司馬光獨樂園(내 마음 나도 모르니) -蘇軾-
사마광 독락 원 소식

物態三時異 /만물의 모양은 아침 낮 저녁으로 다르고
물태 삼시 이

農歌四野同 /농부가 부르는 들노래는 사방이 같다
농가 사야 동

棋局消長夏 /바둑으로 긴 여름의 더위를 잊고
기 국 소 장 하

詩會樂餘春 /시 읊는 벗들과 함께 남은 봄(인생,청춘)을 즐긴다
시회 락 여 춘

蘇/차조기/소생하다 軾/수레 앞턱가로나무 局/판
소 식 국

No.352

☞詩會가 原文에서는 樽酒임
시회 원문 준 주

※雜詩/흐르는 시간은 빛과 같으니 -陶淵明-
잡시 도연명

盛年不重來 /젊은 시절은 거듭 오지 않으며
성년부중래

一日難再晨 /하루에 새벽이 두 번은 없다
일일난재신

及時當勉勵 /때를 놓치지 말고 마땅히 힘쓰라!
급 시 당 면려

歲月不待人 /세월은 사람을 기다려주지 않는다.
세월 부 대 인

勉/힘쓸 勵/힘쓸
면 려

⊙陶潛 陶淵明/中國 東晋의 詩人
도잠 도연명 중국 동진 시인

※넘치는 것은 모자람만 못하니

饌美飽猶厭 /반찬이 맛있다고 너무 배부르게 먹으면 오히려 싫어지고
찬 미 포 유 염

朋良數則疎 /좋은 친구라도 자주 성가시면 오히려 멀어진다.
붕 양 삭 즉 소

金水木火土 /宇宙 사이에 돌고 도는 다섯 가지 氣運.
금 수 목 화 토 우주 기운

仁義禮智信 /人間이 지켜야 할 다섯 가지 倫理.
인의예지신 인간 윤리

飽/물릴/실증난다 棚/시렁 疎/트일/통하다 倫/인륜
포 붕 소 윤

☞五行(水火金木土)=相生과 相剋이 있음
오행 수화 금 목 토 상생 상극

五常(仁義禮智信)=儒敎의 五倫,五典, 佛敎의 五戒의 總稱
오상 인의예지신 유교 오륜 오전 불교 오계 총칭

No.353

※符讀書城南(가을 밤에 등불을 밝히고) -韓愈-
부 독서 성남 한유

時秋積雨霽 /때는 바야흐로 긴 장마가 끝난 초가을
시 추 적우 제

新凉入郊墟 /벌판으로부터 맑고 시원한 새 기운이 들어오네
신량 입 교 허

燈火稍可親 /등불은 점점 가까이하여
등화 초 가 친

簡編可卷舒 /책을 펴볼 때가 되었네.
간 편 가 권 서

符/부신 愈/나을 霽/갤 郊/성밖 墟/언덕 稍/벼줄기끝
부 유 제 교 허 초

簡/대쪽 編/엮을 舒/펼
간 편 서

☞題目:符讀書城南=城南에 있는 符에게 책을 읽으라고 勸하며
제목 부 독서 성남 성남 부 권

지은이; 韓愈, 字는 退之, 中國 唐나라 때 詩人으로 唐宋
한유 자 퇴지 중국 당 시인 당송

八代家 中 **한 사람.**
팔대 가 중

No.354

※그곳에 맨몸으로 서면 그것이 自然이나니
자연

野花迎人笑 **/들에 핀 꽃은 사람을 맞이하여 웃고,**
야화 영 인 소

漁火滿江紅 **/고기잡이배 불은 강물을 온통 붉게 물들인다**
어화 만 강 홍

明月千家鏡 **/밝은 달은 온 누리를 비추는 거울이요**
명월 천 가 경

淸風萬人扇 **/맑은 바람은 만 사람의 부채다**
청풍 만인 선

○中國에는 滿江紅이라는 노래가 있음
중국 만 강 홍

아름다운 자연의 정취를 흠뻑 느낄 수 있는 시입니다
바람 따라 들판으로 나가니 온갖 꽃들이 피어있고 강 위에
고기 잡는 배들이 밝힌 등불이 또한 붉은 꽃처럼 피어납니다

No.355

※연꽃같이 청청하게

荷葉魚兒傘 **/연잎은 어린 고기들의 양산이요**
하 엽 어 아 산

蛛絲燕子簾 **/거미줄은 새끼를 깐 제비집을 가리고 있는 발**
주 사 연 자 염

같다.

美酒衆人渾 /좋은 술도 마시면 사람들의 마음을 흐리게 하고.
미 주 중 인 혼

黃金黑吏心 /황금도 잘못 쓰면 벼슬아치의 마음을 검게
황 금 흑 리 심

만든다

蛛/거미 燕/제비 渾/흐릴 吏/벼슬아치 /衆人:사람들/ 黃金;돈.
주 연 혼 리 중인 황금

재물/ 吏:벼슬아치, 관리 , 공무를 보는 사람
리

☞연잎은 물고기의 양산이요. 거미줄은 제비집의 발이라고
비유 했습니다
물에 비친 연잎과 제비의 집앞에 쳐져있는 거미줄이 그대로
눈에 보이는 듯 합니다/ 멋진 표현입니다

Tiểu Bảo Trương

No.356

※나는 타인에게 누구인가

陰陽山南北 /음과 양은 산의 남쪽과 북쪽이고.
음양 산남 북

晝夜燈前後 /밤과 낮은 등잔의 앞고 뒤 같다.
주야 등전 후

突破煙生席 /구들이 깨어지면 방바닥에서 연기가 올라오고.
돌파 연 생 석

茨漏濕侵筵 /이엉이 새면 자리에 습기가 찬다.
자 루 습 침 연

突/갑작이/부딧치다 茨/가시나무 筵/대자리
돌 자 연

☞응달과 양달은 산의 앞뒤에 생기며 밤과 낮은 등잔이 비취는 곳과 그림자 생기는 곳과 같다고 하는군요.

No.357

※아쉬어라, 사라지는 것들은

江淸魚可數 /강물이 맑으니 고기를 셀 수 있고.
강 청 어 가 수

野廣草難名 /들판이 넓으니 이름도 모르는 풀이 있다.
야 광 초 난 명

水淸群兒浴 /맑은 물에 아이들이 목욕을 하고.
수 청 군 아 욕

松陰老僧眠 /소나무 그늘에서 늙은 중이 잠을 잔다.
송 음 로 승 면

可數:셀 수 있다
가 수

☞물속의 물고기를 셀 수 있을 만큼 맑은 강이 흐르고 온갖 풀 꽃이 피어난 넓은 들판이 있는 곳, 이런 곳을 옛사람들은

가장 살기 좋은 곳으로 여겼답니다.

No.358

※내 마음 끌리는 그곳은

紙穿風入戶 /문종이에 구멍이 뚫여서 바람이 방에 들어오고
지 천 풍 입 호

棋罷客還家 /바둑이 끝나니 손님은 집으로 돌아간다
기 파 객 환 가

牛背樵童笛 /땔감 하는 아동은 소등을 타고 피리를 불며
우 배 초동 적

船頭釣叟歌 /낚시하는 늙은이는 뱃머리에서 노래를 부른다
선두 조수 가

罷/방면할/그치다 樵/땔나무 叟/늙은이
파 초 수

※詩 속에 힘이 있나니
시

海氣尋常雨 /바다의 기상은 항상 비를 찾고(기다리고)
해기 심상 우

山容太平巖 /조용하고 평안한 큰 바위가 산의 얼굴이다
산용 태평 암

驪蹇秋路遠 /가을해는 짧고 길은 먼데 말을 발을 절고.
여 건 추 로 원

衣敝微風寒 /옷이 낡으니 바람이 조금만 불어도 춥다.
의 폐 미풍 한

驪/검은말 蹇/절 敝/해질/부서지다
여 건 폐

○衣敝:낡은 옷
의 폐

☞위의 두 구절은 바다와 바위 같은 사람이 되고 싶은 詩人의
시인

所望. 바다는 비에 젖지 않는다고 하죠
소망

아무리 비가와도 그 높이가 변하지 않으며 바위는 비
바람에도 끄떡 없습니다.

No.359

※秋夜雨中/비 내리는 가을밤 -孤雲 崔致雲-
추야 우중 고운 최치운

秋風唯苦吟 /가을에 부는 바람은 괴로움을 읊조리는 것 같고.
추풍 유고음

世路少知音 /세상을 살아가면서 뜻이 통하는 사람 적다,
세로 소지음

窓外三更雨 /창밖에는 한밤중인데 비가 내리고.
창외 삼경 우

燈前萬里心 /등잔불 앞에 앉으니 萬 里 밖에 있는 故鄕
등전 만리 심 만 리 고향

생각이 나네. 唯/오직
유

⊙孤雲 崔致雲/新羅 유신,新羅가 망하고 伽倻山에 들어가서
고운 최치운 신라 신라 가야 산

一生을 보냄. ☞그 유명한 孤雲 崔致雲의 시입니다
일생 고운 최치운

그는 신라사람으로 당나라에 留學가서 높은 벼슬 까지 한
유학

大文章家입이다. 뜻이 통하는 사람은 없고 창 밖에는 비까지
대문장가

내리고 있습니다.
이역만리 당나라 땅에서 외로움에 시달리던 시인의 심경이 잘
드러나 있습니다.

No.360

※淸夜吟 -堯夫 邵雍-
청야 음 요부 소옹

月到天心處 /밝은 달은 하늘 한복판에 떠 있고
월도 천심 처

風來水面時 /시원한 바람이 물을 건너 불어올 때
풍래 수면 시

一般淸意味 /한결같이 맑고 상쾌한 이 즐거움을
일반 청 의 미

料得少人知 /헤아려 얻을 줄을 아는 사람이 드물다.
료 득 소 인 지

堯/요임금/높다/멀다 邵/고을이름 雍/누그러질
요 소 옹

⊙요부 소옹/ 시호는 강절. 중국 송나라 때 사람
料/되질할, 생각할 少人/생각이 좁은 사람.
료 소 인

☞달은 밝고 달빛에 비친 강에는 부드러운 바람이 불어와
온몸을 감싸 줍니다
크게 들 숨을 쉬면 온몸이 그대로 달빛에 젖고 강바람에 젖는
느낌이겠죠, 너무나 恍惚한 自然에 詩人이 흠뻑 빠져있습니다.
황홀 자연 시인

No.361

※漢詩, 그 諧謔에 웃다
한시 해학

天長去無執 /하늘은 높고 멀어 잡으러 갈 수 없고,
천 장 거 무집

地崩可莫求 /땅이 병들어 죽는 것을 바라지도 않는다.
지 붕 가 막 구

通市求銀來 /저자를 열면 돈을 벌려고 사람들이 모이고.
통 시 구 은 래

花老蝶不來 /꽃은 시들면 나비도 오지 않는다,
화 로 접 불 래

☞천장의 거미집, 지붕의 까마귀, 변소의 구린 냄새, 이글은
1구와4구가 한 연이고 2구와 3구가 한연이나, 天,과 地, 來와
천 지 래

來로 대를 이루기 위하여 억지로 바꾸어 놓은 것이다.
래

No.362

※四喜/즐거운 4가지 梅竹軒 成三問
사 희 매죽헌 성삼문

大旱逢甘雨 /날씨가 오래 가물다가 때마침 단비가 내릴 때.
대한 봉 감우

他鄕遇故人 /먼 타향에서 우연히 옛날의 벗을 만났을 때.
타향 우 고 인

洞房華燭夜 /신랑 신부가 화려한 등불 켜고 결혼한 첫날밤
동방화촉 야

金榜掛名時 /합격자(과거)명단에 이름이 붙어 있을 때
금방 괘 명 시

遇/만날 逢/만날 榜/패 掛/걸
우 봉 방 괘

☞이 五言絶句를 死六臣 成三問이 두 글자를 앞에 붙여
오언 절구 사육신 성삼문

七言律詩로 만들어 읊었다 한다 七年大旱逢甘雨,
칠언율시 칠년 대한 봉 감우

千里他鄕遇故人, 少年金榜掛名時, 洞房華燭無月夜.
천리 타향 우 고 인 소년 금방 괘 명 시 동방화촉 무 월야

열심히 공부하여 젊은 나이에 科擧에 及第, 世宗大王의
과거 급제 세종대왕

寵愛를 받음. 가뭄에 단비. 옛 親舊를 만나는 것, 그리고
총애 친구

結婚과 科擧及第가 가장 즐거운 일이라고 하는군요.
결혼 과거 급제

No.363

※函 속에 든 물건은....
함

孤雲 崔致雲
고운 최 치 운

團團石中物 /둥굴고 단단한 돌덩이 속의 물건은
단 단 석 중 물

半白半黃金 /반은 희고 반은 금덩어리같이 누렇다(계란)
반백 반 황금

夜夜知時鳥 /밤마다 때를 알리는 새(닭)가
야야 지 시 조

含情未吐音 /정을 품고 있으나 아직 소리치지 못한다(알속의
함정미토음

병아리)

☞崔致雲 先生이 지었다는 說이 있음, 唐나라에서 新羅에
최치운 선생 설 당 신라

보낸 試驗物을 아무도 못 풀어서 苦悶했는데 어린 孤雲이
시험물 고민 고운

풀었다는 古史다 단단한 돌함 속에 鷄卵을 넣었는데 唐에서
고사 계란 당

신라에 오는 동안 일어서(孵化하여) 병아리가 알을 깨고
부화

나오려는 때 돌함을 가져온 당나라 사신도 이 사실을 몰라
孤雲에게 부끄러워했다고 한다.
고운

悶/번민할 孵/알깔
민 부

光曦 刘

자연을 노래한 시

No.364

※쓸쓸하여라 그 가난

對飯先蠅集 /밥상을 마주하니 파리가 먼저 떼 지어 오고.
대 반 선 승 집

廚空鳥啄盤 /아무도 없는 부엌에 새가 들어가서 小盤을
주 공 조 탁 반 소반

쪼아댄다.

隣富鷄牆去 /이웃에 있는 부잣집으로 닭은 담을 넘어가고.
린 부 계 장 거

家貧客漸稀 /집이 가난하니 오시는 손님이 점점 드물다.
가 빈객 점 희

蠅/파리 廚/부엌 啄/쫄 牆/담/ 隣=이웃/ 牆=墻=담장 장
승 주 탁 장 린 장 장

去=갈. 背信하다, 잃어버리다.
거 배신

☞초라한 밥상 위에는 파리가 달라붙고, 먹을 것이 없는 부엌에 들어간 새는 곡식 대신 상만 쪼아댑니다, 거기다가 닭까지 이웃 부잣집으로 넘어가고 손님의 발길조차 끊이고 맙니다.

No.365

※訪道者不遇/道友를 찾아왔다가 못 만남 -賈 島-
방 도 자 불우 도우 가 도

松下問童子 /소나무 아래에서 童子에게 물었더니
송하 문 동 자 동자

言師採藥去 /말씀인즉“스승님은 藥草 캐러 가셨습니다 한다.
언 사 채약 거 약초

只在此山中 /꼭 이 산속에 있을 것인데.
지 재 차산 중

雲深不知處 /구름이 짙어 있는 곳을 모릅니다.
운 심 부지 처

⦿賈島/스님이 된 후 法名은 無本. 中國 唐나라 中期 사람.
가 도 법명 무 본 중국 당 중기

☞누군가 산속에 高僧이 있다 하여 찾아갔겠죠?
고승

世上사는 理致도 묻고 좋은 말씀도 듣고 싶었을 것입니다
세상 이치

그런데 노스님은 없고 어린 童子僧만 있습니다. 노스님은
동자 승

藥草 캐러 산으로 갔다는데 그 산에는 구름이 자욱합니다.
약초

№366

※春興/즐거운 봄 -圃隱 鄭夢周-
춘흥 포은 정몽주

春雨細不滴 /봄비는 부슬부슬 방울지지 않고
춘우 세 불 적

夜中微有聲 /가느다란 소리로 밤에 내린다.
야중 미 유성

雪盡南溪漲 /눈이 다 녹아서 시냇물을 불어나고.
설 진 남계 창

草芽多少生 /어느 새 풀은 새싹이 몇 잎 돋았네.
초아 다소 생

微/작을 漲/불을
미 창

⦿圃隱 鄭夢周/高麗 恭愍王 때 大學者이며 忠臣,高麗 三隱 중
포은 정몽주 고려 공민왕 대학 자 충신 고려 삼은

한 사람.

☞밤새도록 봄비는 내리고 그 봄비에 겨우내 얼었던 얼음이

마져 녹아 흐릅니다 그리고 기적처럼 겨울을 견디고 움을 틔운 새싹.

No.367

※문은 밀어야 하나 두드려야 하나? -賈 島-
가 도

閑居隣竝少 /한거하게 사니 이웃이 적고.
한거 린병소

草徑荒園入 /집으로 돌아가는 오솔길은 거칠기만 하다.
초경 황원입

鳥宿池邊樹 /새는 연못가의 나무 위에서 자고.
조숙 지변수

僧敲月下門 /중은 달빛이 비치는 밤에 문을 두드린다.
승고 월하문

竝/아우를 徑/지름길 敲/두드릴
병 경 고

☞推와 敲를 韓愈에게 물어 韓愈가 敲字를 좋다고 하자 敲字를 써서 以後 原稿를 고치는 것을 推敲라고 한다는 古史가 傳해진다.
퇴 고 한유 한유 고자 고자 이후 원고 퇴고 고사 전

No.368

※大興洞 -花潭 徐敬德-
대흥동 화담 서경덕

紅樹映山屛 /붉은 丹楓이 덮고 있는 山은 屛風 같고
홍수영산병 단풍 산 병풍

碧溪瀉潭鏡 /개울의 깊은 소(여울)물은 거울같이 맑다.
벽계 사담경

行吟玉界中(행음옥계중) /神仙(신선)이 놀고 간다는 景致(경치) 좋은 곳에서 詩(시)를 읊으니.

陟覺心淸淨(척각심청정) /詩(시)를 후련해짐을 문득 깨달았네.

碧(벽)/푸를 瀉(사)/쏟을 陟(척)/오를 淨(정)/깨끗할

⊙花潭(화담) 徐敬德(서경덕) /字(자)는 可久(가구), 朝鮮(조선) 中宗(중종) 때의 큰 선비

○瀉潭(사담):瀑布(폭포)로 인하여 생긴 웅덩이 行吟(행음):읊조리다 노래하다

玉界(옥계):신선이 사는 곳. 陟覺(척각):생각이 나다, 생각이 떠오르다.

No.369

※鳥鳴澗/새가 개울가에서 운다 -王 維-
조 명 간 왕 유

人閑桂花落 /남은 閑暇한데 桂樹나무 꽃(별똥별)은 떨어지고
인 한 계 화 락 한가 계수

夜靜春山空 /고요한 밤이 되니 봄 산도 쓸쓸하다.
야 정 춘산 공

月出驚山鳥 /달이 뜨니 산새는 놀라고
월출 경 산 조

時鳴春澗中 /봄철에라 산골에서 瀑布 소리가 들린다.
시 명 춘 간 중 폭포

澗/계곡의 시내 維/바/밧줄
간 유

⊙王維/中國 唐나라의 宮廷詩人이며 畵家. 桂花落/밤에
왕유 중국 당 궁정시인 화가 계화 락

흐르는 별의 가상임 時=때시, 철, 시간 鳴=울명, 瀑布소리
시 명 폭포

※田家/農事짓는 집 -柳宗元-
전가 농사 유종원

籬落隔煙火 /집집마다 울타리 사이로 밥 짓는 연기 보이고
이 락 격 연 화

農談四隣夕 /농사 이야기 하는 동안 사방에 어둠이 내린다.
농 담 사 린 석

庭際秋蛩鳴 /뜰 모퉁이에선 가을이 왔다고 귀뚜라미가 울고
정제 추 공 명

疎麻方寂歷 /솎아낸 삼대 밭은 조용해지네.
소 마 방 적 력

際/사이 蛩/귀뚜라미 寂/고요할 歷/지낼
제 공 적 력

⊙柳宗元/中國 唐나라 때의 詩人 唐宋 八代家 중 한 사람
유종원 중국 당 시인 당송 팔대 가

○籬落(이락)/집집마다 울타리 際(제)/끝 蛩(공)=실솔=귀뚜라미

疎麻(소마)=베어내고 듬성듬성 남은 狀態(상태)

☞가을 저녁에 가을 걷이를 끝낸 農夫(농부)의 마음은 어떨가요?

洽足(흡족)한 收穫(수확)을 거둔 따뜻한 農村(농촌) 마을의 저녁 情景(정경)을 읊고 있습니다,

No.370

※雜詩(잡시) -陶 潛(도 잠)-

採菊東籬下(채국동리하) /동쪽 울타리 밑에서 국화를 따 들고

悠然見南山(유연견남산) /느긋이 남산을 바라본다.

山氣日夕佳(산기일석가) /산에 비친 저녁놀 더욱 아름답고

飛鳥相與還(비조상여환) /날짐승들은 짝을 지어 깃으로 돌아온다.

採(채)/캘 陶(도)/질그릇 潛(잠)/자맥질할 悠(유)/멀

☞菊花(국화) 꽃잎 따들고.....

늦가을, 노란 국화는 이제 막 시들 준비를 합니다. 가을 내내 香氣(향기)로운 姿態(자태)를 뽐내던 菊花(국화)도 다가오는 겨울을 준비하는 것이죠,

No.371

※지나간 것은 언제가 돌아오나니.....

白日依山盡 /밝은 해는 산을 의지하여 사라지고
백일 의 산 진

黃河入海流 /황하는 흘러서 황해로 들어간다.
황 하 입해 류

寒雪梅中隱 /차가운 눈은 매화나무 속으로 숨고
한설 매 중 은

春風柳上歸 /봄바람은 버드나무 위로 돌아온다.
춘 풍 류 상 귀

○黃河:中國에 있는 큰 江.
황 하 중국 강

☞지나간 것은 언젠가 돌아오나니.....

해는 西山으로 지지만 내일이면 다시 동쪽으로 돌아오겠지요.
서산

黃河를 흐르고 흘러 바다로 간 물도 언젠가는 비가 되어
황 하

돌아올 것입니다 지금은 비록 梅花가 떨고 있는 겨울이지만
매화

곧 버드나무 가지 위로 봄바람이 불어 올 것입니다.

※擬古=(古詩를 본뜸)의 일절
의고 고 시

No.372

-陶 潛-
도 잠

日暮天無雲 /해는 지고 하늘에는 구름도 없는데
일모 천 무 운

春風扇微和 /봄바람이 부채질하듯 살랑살랑 불어온다.
춘 풍선 미 화

皎皎雲間月 /구름 사이의 달은 희고 밝기도 하며,
교교 운 간월

灼灼葉中華 /잎 속에서 피는 꽃은 불꽃같이 찬란하여라.
작작 엽 중화

擬/헤아릴 皎/달빛=흴=밝을 灼/사르/밝을
의 교 작

☞봄과 가을은 유난히 詩人들의 마음을 설레게 하는
시인

모양입니다. 陶淵明도 봄밤의 情趣에 어쩌지 못하고 먹을
도연명 정취

갈았습니다.
해지고 봄바람 불며 달까지 뜨는 밤, 그 고요 속에 꽃 한 송이 망울을 터트리고 있습니다.

No.373

※春日二題=봄날 두 수 -李時馩-
춘일 이 제 이 시 분

殘雪淸溪上 /청계의 뒷동산에 눈은 덜 가시어도.
잔설 청계 상

微寒破戶間 /늦추위가 문틈에서 깨어져 흩어지네.
미 한 파호 간

前山春雨過 /한 줄기 봄비가 앞산을 지나가니.
전산 춘우 과

紅綠繡斑斑 /붉으락푸르락하고 아롱다롱 수 놓았구나.
홍 록 수 반 반

馩/향내 繡/수/수놓을 斑/얼룩진/아롱진
분 수 반

⊙雲牕 李時馩/朝鮮 中期 文人
운 창 이 시 분 조선 중기 문인

馩/향 가시어도=녹아 없어지다, 청소하다, 치우다. 牕/창
분 창

덜 가시어도=남아 있어도.

※삿갓 사이로 올려본 가을 하늘 -金(김)삿갓/金柄淵(김병연)-

山吐孤輪月(산토고륜월) /산이 토해맨 둥근 달이 외롭게 떠 있고

江含萬里風(강함만리풍) /멀리서 불어온 바람을 강이 머금었네,

秋水連天碧(추수련천벽) /가을 물결은 하늘에 잇닿아 푸르고

霜楓向日紅(상풍향일홍) /서리 맞은 단풍은 해를 따라 붉다.

吐(토)/토할 楓(풍)/단풍나무

※泰山歌(태산가) -蓬萊(봉래) 梁士彦(양사언)-

誰云泰山高(수운태산고) /태산이 높다 하되

自是天下山(자시천하산) /하늘 아래 뫼이로다

登登復登登(등등복등등) /오르고 또 오르면

自可到上頭(자가도상두) /못 오를 리 없건마는

人旣不自登(인기부자등) /사람이 아니 오르고

每言泰山高(매언태산고) /뫼만 높다 하더라

旣(기)/이미/벌써 彦(언)/선비

⊙梁士彦(양사언) 1517(中宗(중종)12)~1584(宣祖(선조)17)

1546년(明宗(명종)1) 文科(문과)에 及第(급제) 大同丞(대동승)을 거쳐 三登(삼등)(平安南道(평안남도) 江東(강동) 地域(지역)) 自然(자연)을 즐겨 淮陽(회양)의 郡守(군수)로 있을 때는 金剛山(금강산)에 자주 가서 景致(경치)를 感想(감상) 했다

萬瀑洞(만폭동)의 바위에 蓬萊楓岳元化洞天(봉래풍악원화동천)“이라 글씨를 새겼는데 지금도 남아있다. 40년간이나 官職(관직)에 있으면서도 전혀 不正(부정)이 없었고 遺族(유족)에게 財産(재산)을 남기지 않았다, 한편 南師古(남사고)에게서 周易(주역)을 배워 壬辰倭亂(임진왜란)을 正確(정확)히 豫言(예언) 했다는 逸話(일화)가 전한다.

nextvoyage

No.374

※梁士彦의 霜餘水反壑
양 사 언 상 여 수 반 학

霜餘水反壑 /서리 녹아내린 물 계곡으로 흘러가고
風落木歸山 /바람에 진 나뭇잎고 산으로 돌아가네.
冉冉歲華晩 /어느덧 세월 흘러 한 해가 저물어 가니
昆蟲皆閉關 /벌레도 모두 다 숨어 움츠리네.

彦/선비/언 反/도돌릴/반 冉/나아갈/염 昆/형/맏/곤
關/빗장/관

※訪金居士野居 -三峰 鄭道傳-
방 김 거사 야 거 삼봉 정도전

秋雲漠漠四山空 落葉無聲滿地紅
추운 막 막 사 산 공 낙엽 무성 만지 홍

立馬溪橋問歸路 不知身在畵圖中
립 마 계 교 문 귀로 부지 신 재 화도 중

漠/사막 圖/그림
막 도

☞가을 구름 아스라하고 온 산은 비어 있는데 소리도 없이 땅 위로 가득 떨어지는 단풍잎 시냇가에 말을 세우고 돌아갈 길을 묻는데 오 내가 한폭의 그림 속에 있는 줄 몰랐네

⊙三峰 鄭道傳 1342(忠惠王 復位3)
삼봉 정도전 충혜왕 복위

出生地는 忠清道 端陽 三峰이다, 高麗 末에서 朝鮮 初까지
출생지 충 청도 단양 삼봉 고려 말 조선 초

文臣 兼 學者, 李成桂를 도와 朝鮮을 建國하였으며 나라의
문신 겸 학자 이성계 조선 건국

기틀을 다지는 役割을했다, 하지만 李芳遠 과 政治鬪爭에서
역할 이방원 정치투쟁

殺害되었다.
살해

No.375

※送張舍人之江東 -李 白-
송 장 사인 지 강 동 이 백

天晴日雁遠 海闊孤帆遲 期/기약할
천 청 일 안 원 해 활 고범 지 기

白日行欲暮 滄海杳難期 帆/돛 杳/아득할/어두울
백일 행 욕 모 창해 묘 난 기 범 묘

☞가을 날씨 개고 외기러기 저 멀리 나는데 넓은 바다에는
외로운 돛단배가 더디게 간다.
해는 뉘엿 뉘엿 저물려는데 푸른 물결 아득하여 다시 만나기
어렵구나.

●외기러기 날아가는 가을 날, 李白이 어느 가을 날,
이백

바닷가에서 누군가를 떠나보내는 모양입니다
기러기 한 마리 무리를 잃고 홀로 날아갑니다
넓은 바다에는 돛단배 한 척만 물결 따라 흘러가고 있습니다
그 속에 시인은 혼자 서 있군요,

⊙太白 李白 號는 青蓮居士 詩仙 또는 謫仙으로 불린다,
태백 이백 호 청 련 거사 시선 적선

中國 唐나라 때 詩人,
중국 당 시인

※갈매기는 왜 날고 말은 어찌하여 달리는가,

白雲山上蓋 /흰 구름은 산 위의 양산(日傘)이요
백운 산상 개 일산

明月水中珠 /밝은 달은 물 속에 있는 구슬 같구나.
명월 수중 주

白鷗波萬里 /갈매기는 길고 긴(만리)파도를 타고.
백구 파 만리

黑馬馳高原 /검정말은 넓은 벌판을 달린다.
흑마 치 고원

蓋/덮을 馳/달릴 日傘=해를 가리는 양산
개 치 일산

☞마치 잘 그린 네 폭의 병풍을 보는 듯 합니다
둥실 흰 구름 한 무리가 산머리 위로 떠올라 있습니다
물속에는 하늘의 달보다 더 큰 달이 떠가고 있습니다
갈매기는 날고 말은 벌판을 달리는데 정작 시인은 그
까닭을 말하지 않고 있습니다.

No.376

※봄은 봄이로되

鳥逐花間蝶 /새는 꽃밭의 나비를 쫓아다니고.
조 축 화 간 접

鷄爭草中蟲 /닭은 풀밭의 벌레와 싸운다.
계 쟁 초 중 충

浮雲明月雨 /구름이 떠 있는 것을 보니 날이 밝으면(내일)비가
부운 명월 우

오겠고

落葉去年秋 /떨어져 있는 나뭇잎은 작년 가을의 단풍이다.
락 엽 거년 추

逐/쫓을
축

※봄풀은 푸르건만

春草年年綠 /봄에 풀은 해마다 푸른데
춘초 년 년 록

王孫歸不歸 /님(왕손)은 가서 다시 돌아올 줄 모르네.
왕손 귀 불귀

雁帶三更月 /달 밝은 한밤중에 기러기는 줄지어 날고
안 대 삼경 월

風送萬里雲 /바람은 만리(멀리) 밖으로 구름을 실어 보낸다.
풍 송 만리 운

☞季節이 바뀔 때마다 기다리는 사람은 더욱 切實해집니다
계절 절실

남들은 봄의 아름다움에 醉해 있을 때 詩人은 누군가를
취 시인

절실히 기다리고 있습니다 봄의 情趣가 눈에 들어올 리 없을
정취

것입니다 누구를 기다릴 까요? 王孫을 기다린다고 합니다
왕손

기다리는 사람은 돌아오지 않고 季節은 바뀌고 있습니다
계절

기러기와 바람이 시인의 心境을 傳해줄 수 있을까요?
심경 전

趣/달릴 境/지경/장소
취 경

No.377

※풀은 왜 푸르고 꽃은 왜 마르는가

草綠今朝雨 /풀이 푸른 것은 오늘 아침 비가 내렸기 때문이고,
초록 금조 우

花殘昨夜風 /꽃이 말라죽은 것은 어젯밤에 바람이 불었기
화 잔 작야 풍

때문이다.

秋涼黃菊發(추량 황국 발) /서늘한 가을이 되니 누른 국화가 피고.

冬寒白雪飛(동한 백설 비) /찬 겨울이 되니 흰 눈이 내린다.

○殘(잔)=해칠, 죽일. 상할

☞아침의 비와 어제의 바람이 기가 막힌 對比(대비)를 이루고

있습니다. 모든 일에는 原因(원인)이 있다고 합니다,

저절로 떨어지는 꽃은 없고 저 혼자 힘으로 푸르러지는 풀도 없습니다 풀이 푸른 것은 비 덕분이요, 꽃이 지는 것은 바람 탓입니다 菊花(국화)는 가을 덕분에 노랗게 피고 흰눈은 겨울

덕분에 誕生(탄생)할 수 있습니다.

Johannes Plenio

Johannes Plenio

No.378

※구름 속의 새는 하얀 꿈을 꾸고

雲山鳥夢白 /구름 덮인 산에 사는 새의 꿈은 흰색일 것이고,
운산 조 몽 백

花枝雨聲紅 /꽃가지에 내리는 빗소리는 붉은색일 것이다.
화지 우성 홍

蝶舞紛紛雪 /어지러이 나는 눈발은 나비가 춤을 추는 것 같고,
접 무 분분 설

黃鶯片片金 /누른 꾀꼬리는 조각조각 금덩이 같구나.
황앵 편편 금

紛/어지러워질
분

☞눈에 보이지 않는 것을 묘사하는 것을 상상력이라고 한다
시인의 상상력이 놀랍다
흰 구름 속의 새가 품은 꿈은 흰색이고 꽃가지에 내리는
빗소리는 붉을 것이라고 노래하고 있다
구름 산을 보면서 어떻게 새의 꿈까지 상상했을까?
꽃가지에 내리는 비는 그 소리조차 붉을 것이라고 描寫하고
있다.

No.379

※自然은 거기 그대로인데

山川古今同 /산과 시내는 예나 지금이나 한가지요.
동

人心朝夕變 /사람의 마음은 아침저녁으로 달라진다.
인심 조석 변

聽水淙淙瑟 /들리는 물소리는 종종종 큰 거문고 소리 같고.
청 수 종 종 슬

題春字字花 /표제가 봄 춘 자니 글자마다 꽃이다. 淙/물소리
제 춘 자자 화 종

※東西南北 모두가 길이로다
동서남북

西亭江上月 /亭子가 있는 서쪽 江 위에는 달이 떠 있고
서 정 강상 월 정자 강

東閣雪中梅 /다락집이 있는 동쪽에는 梅花가 눈 속에 피어
동 각 설중 매 매화

있다.

南北鴻雁路 /남쪽과 북쪽은 기러기 떼가 다니는 길이요
남북 홍안 로

東西日月門 /동쪽에서 서쪽은 해와달이 뜨고 지는 문이다.
동서 일월 문

閣/문설주 雁=기러기 고니안
각 안

☞詩를 읽어보면 四方을 한 바퀴 돌아보는 느낌이다
시 사방

서쪽의 亭子에서 동쪽의 다락집, 그리고 기러기 날아가는
정자

南北까지 아마 方向의 對比가 시의 發想이 아닌가 싶습니다.
남북 방향 대비 발상

No.380

※등불이 달이고 달이 등불이로다

燈作房中月 /등잔불은 방 가운데 놓인 달 같고
등 작 방중 월

月爲天下燈 /달은 온 세상의 등잔불 같다
월 위 천하 등

鳥飛枝二月 /이월(봄)의 나뭇가지에는 새가 날아다니고
조 비 지 이 월

風吹葉八分 /(가을)바람이 불어오니 나뭇 잎이 팔랑팔랑
풍 취 엽 팔분

흩어지네

作(작)=만들다　爲(위)=만들다, --를 삼다 天下(천하)=세상 二,八(이 팔)=봄과 가을을 의미하는 對稱(대칭)임 팔랑팔랑은 八(팔)자의 음을 따왔음 分(분)=쪼개지다 흩어지다 일설에는 한들한들.

※四時(사시)　　-陶潛(도잠)-

春水滿四澤(춘수 만 사 택) /봄이오니 사방의 못마다 물이 가득하고,

夏雲多奇峯(하운 다 기 봉) /여름의 구름은 기묘한 봉우리들이 갑자기 많이 생긴다

秋月揚明輝(추월 양 명 휘) /가을 달은 휘영청 밝고

冬嶺秀孤松(동 영 수 고 송) /겨울 산마루에는 외로이 서 있는 소나무가 날씬하다

揚(양)/오를/날다　輝(휘)/빛날 四(사)=넉/사방　奇(기)=갑자기, 기이할

秀(수)=빼어나다/매끈하다/날씬하다

No.381

※猜忌(시기)/심술　　-解蒙集(해몽 집)　이창동-

漁父無漁具(어부 무 어 구) /어부가 가지 어구거 없어

投砂游鮒群(투 사 유 부 군) /노는 붕어 고기떼에 모래를 뿌렸다

游魚驚急散(유 어 경 급 산) /놀던 고기떼는 놀라 급하게 흩어지고

萍草獨流沄 /부평초 한 잎이 맴돌며 흘러간다.
평초 독 류 운

猜/샘할 忌/꺼릴/싫어하다 鮒/붕어 萍/부평초
시 기 부 평

沄/맴돌/소용돌이 칠
운

John_Nature_Photos

No.382

※복은 스스로 부르는 것이니

掃地黃金出 /땅을 깨끗이 쓸면(청소를 잘하면)황금이 나오고.
소지 황금 출

開門萬福來 /(아침 일찍)문을 열면 많은 복이 들어온다.
개문 만복 래

花笑聲未聽 /꽃은 웃고 있으나 그 웃음소리는 들리지 아니하고,
화 소 성 미 청

鳥啼淚難看 /새는 울고 있으나 그 눈물은 보기 어렵다.
조 제 루 난 간

☞아래 두 句節은 新羅末期 孤雲 崔致雲 先生이 少年 時節
구절 신라 말기 고운 최 치 운 선생 소년 시절

李 政丞의 딸과 차음 만났을 때 和答한 詩라는 逸話가 있다
이 정승 화답 시 일화

李氏 小女가 "花笑檻前聲未聽"하고 다음 句가 떠오르지 않아
이 씨 소녀 화 소 함 전 성 미 청 구

한참 머뭇거리고 있을 때 고운 少年이"鳥啼林下淚難看"하고
소년 조 제 림 하 누 난 간

應句하여 天下의 明示를 남겼다고 傳한다.
응 구 천하 명시 전

檻/우리/감옥 政/정사 丞/도울
함 정 승

No.383

※將軍의 바다 閑山島에서 읊다 -汝海 李舜臣-
장군 한산도 여 해 이순신

水國秋光暮 /섬마다 가을 햇살 저물었는데,
수국 추광 모

驚寒雁陣高 /추위에 놀란 기러기 떼 진을 친 듯 뽐내며
경 한 안진 고

날아가네.

憂心輾轉夜 /근심스런 마음에 몸을 뒤적이며 밤잠을 설쳤는데.
우심 전전 야

殘月照弓刀 /새벽달이 활과 칼에 비추어 주는구나.
잔월 조 궁 도

輾/구를=轉
전 전

⊙如海 李舜臣(1545~1598) 朝鮮 宣祖 때 三道水軍統制使.
여 해 이순신 조선 선조 삼도수군통제사

水國=섬,물가 高=뽐내다,으스대다 輾轉=누워서 이리저리
수국 고 전전

뒤척임 殘月=날이 밝을 때까지 남아 있는 달, 새벽달.
잔월

No.384

※遺于仲文/于 仲文에게 傳함 -乙支文德-
유 우 중 문 우 중 문 전 을지문덕

神策究天文 /(高句麗는)이미 天文을 研究하여 神秘로운
신책 구 천 문 고구려 천문 연구 신비

計策을 세웠고
계책

妙算窮地理 /(高句麗는)이미 地理를 꿰뚫어 奇妙한 防禦策을
묘산 궁지 리 고구려 지리 기묘 방어 책

짜두었소

戰勝功旣高 /隨 나라여!번번이 이겨서 그 공이 이미 높거늘.
전승 공 기 고 수

知足願言止 /洽足할 줄 아시거든 싸움을 멈추시지요,
지족 원 언 지 흡족

于/어조사/가다/행하다 奇/기이할 禦/막을 洽/흡족하다
우 기 어 흡

⊙乙支文德 高句麗의 名將
을지문덕 고구려 명장

☞高句麗 名將 乙支文德이 敵將에게 보낸 시입니다
고구려 명장 을지문덕 적장

數十萬 敵軍을 앞에 두고도 눈 하나 깜짝하지 않고
수십만 적군

싸워보나마나 우리가 이긴다고 장담했던 將軍의 詩
장군 시

No.385

※蘇武 -李 白-
소무 이 백

牧羊邊地苦 /변방에서 양을 치며 고생하였고.
목양 변 지 고

落日歸心絶 /지는 해 바라보면 돌아가고픈 마음 간절했네,
낙 일 귀심 절

渴飮月窟水 /목마르면 월굴에서 나는 물을 마시고.
갈 음 월 굴 수

飢餐天上雪 /배고프면 내린 눈을 밥 삼아 먹었네.
기 찬 천상 설

蘇/차조기/소생하다 餐/먹을
소 찬

○蘇武=中國 漢나라 武帝 때 匈奴를 치러 갔다가 捕虜가
소무 중국 한 무제 흉노 포로

되어 降伏을 마다하고 19년 동안 節槪를 지킨 將帥의 구절
항복 절개 장수

月窟=匈奴(돌궐 거란)에 있는 굴, 달이 구멍에서 뜬다는
월 굴 흉노

傳說이 있는 깊은 굴, 소무가 19년동안 귀양살이한 곳은
전설

지금의 바이칼 호 부근이라함,

☞이 시는 당나라 시인 이백이 소무라는 장수에 대해 읊은 것입니다. 시를 읽어보면 멀리 변방에서 고생하는 정경이

그대로 떠오릅니다,
비록 나라를 위해 전쟁터에 나왔지만 고향과 가족에 대한 그리움이 없을 수 없겠지요.
갖은 어려움 속에서도 적에게 굴복하지 않았던 장수.

No.386

※모든 것은 마음에서 비롯되나니

天勢圍山野 /하늘은 산과 들을 감싸고 있는 형세요.
천 세 위 산 야

河流下斷崖 /강물은 낭떠러지 아래로 흘러내려간다.
하 유 하 단 애

淡泊以明志 /소박하게 살면서 뜻을 밝게 가지고.
담박 이 명 지

寧靜以致遠 /마음이 편안하고 고요해야 큰 포부를 이룰 수 있다.
영정 이 치 원

崖/벼랑 淡/묽을 泊/배댈
애 담 박

○淡泊=욕심이 없고 마음이 깨끗함 寧靜=편안하고 고요함
담박 영정

☞위의 두구절은 중국 사천성의 지세를 설명한 것임,
아래 두구절은 중국 삼국시대 蜀漢 丞相 諸葛亮이 출사하기 전 남양의 고향에 살 때 초당에 걸어놓은 座右銘.
촉한 승상 제갈량 좌우명

No.387

※松柏은 추위 속에서 더욱 푸르나니
송백

疾風知勁草 /강하고 빠르게 부는 바람은 억센 풀을 알고,
질풍지경초

板蕩識誠臣 /나라의 정치가 문란할 때 충성스런 신하를 안다.
판탕 식 성 신

春來桃李白 /봄이 오니 복숭아와 오얏나무 꽃이 하얗게 피고.
춘래 도리 백

夏至禾黍青 /한여름이 되니 벼와 기장이 푸르게 자란다.
하지 화서 청

疾/병/괴로움 勁/굳셀 黍/기장 疾風=강하고 빠르게 부는
질 경 서 질풍

바람 疾=병 앓을, 빠를 板=널빤지, 널조각, 조서.
질 판

☞위의 두 구절은 어려운 때를 당해봐야 그 사람의 眞價를
진가

안다는 뜻임. 바람이 강해야 풀이 억센 것을 알고 나라가 어지러워야 忠臣의 眞價가 드러납니다.
충신 진가

날씨가 추워야 소나무의 氣象을 알 수 있다는 말도 있습니다.
기상

pasja1000

No.388

※子夜吳歌 -李 白-
자야 오 가 이 백

長安一片月 /장안의 하늘에는 조각달이 떠 있고.
장안 일편 월

萬戶搗衣聲 /집집마다 옷 다듬는 방망이소리 들린다.
만호 도 의 성

秋風吹不盡 /가을바람 끊임없이 불어오는데,
추풍 취 부 진

總是玉關情 /이 모든 것이 옥문관(군사 진지 이름)에 계신
총 시 옥 관 정

당신 때문이다.

搗/찧을/두드린다 長安=한나라 都邑地 玉關=한나라 서쪽에
도 장안 도읍지 옥 관

있는 軍士 基地
군사 기지

※紫騮馬/털빛이 붉고 갈기가 검은 말 -李 白-
자 류 마 이 백

白雪關山遠 /흰눈 덮인 관산은 까맣게 멀고.
백 설 관 산 원

黃雲海戍迷 /노을 낀 바닷가 수자리는 흐리기만 하다.
황 운해 수 미

揮鞭萬里去 /채찍을 휘둘러 갈 길이 만리 밖인데.
휘 편 만 리 거

安得念香閨 /한가로이 처가 사는 집을 생각할 겨를이 있나.
안 득 념 향 규

紫/자주빛 騮/월따말/털빛이 붉고 갈기가 검은 말 戍/지킬
자 류 수

迷/미혹할/전념하다 揮/휘두를 鞭/채찍 閨/도장방/규방
미 휘 편 규

關山(관산)=국경을 지키는 관문 香閨(향규)=여자가 사는 방 香雲(향운)=암황색 구름 노을 戍(수)=수자리/지킬 戌(술)=개/ 점과 一(일)자

海戍(해수)=바닷가에 있는 哨所(초소)

☞戍(수)자리란 멀리 邊方(변방)을 지키러 가는 것을 말합니다.

中國(중국)은 넓은 나라, 가는 사람도 자신이 어디로 가는지, 어디까지 와 있는지 짐작조차 어려웠을 것입니다. 밤에는 별을 보며 故鄕(고향) 쪽을 가늠했겠지요.

家族(가족)이 그리워도 주어진 任務(임무)를 다하겠다는 意志(의지)가 보입니다.

No.398

※遊子吟(유자음)=집 떠나는 아들을 읊음 -孟郊(맹교)-

慈母手中線(자모수중선) /사랑하는 어머니의 손에 들린 실은,

遊子身上衣(유자신상의) /집 나가는 아들의 입을 옷을 지으려 하네.

難將寸草心(난장촌초심) /갈수록 어렵구나! 한 치 풀 같은 아들의 마음으로는.

報得三春輝(보득삼춘휘) /봄날의 햇볕 같은 어머님의 사랑을 갚을 길이,

郊(교)/성밖 慈(자)/사랑할 輝(휘)/빛날

⊙孟郊(맹교) 字(자)는 東野(동야), 中國(중국) 唐(당)나라의 詩人(시인)

○遊子(유자)=나그네, 집 떠날 아들, 직업이 없는 사람

難將(난장)=장차 어렵다, 갈수록 어렵다.

☞가늠할 수 없는 어머니의 사랑

하늘보다 높고 바다보다 넓은 것이 어머니의 사랑이라고 합니다. 집을 떠나야 하는 아들을 위해 어머니는 밤새 옷을 짓습니다, 그 아들은 당연하다는 듯 그 옷을 입고 집을 떠났겠지요.
그러나 시간이 지나 옷이 해질수록 어머니의 사랑이 새삼 떠올랐을 것 입니다,

No.390

※탱자가 渭水(위수)를 건너면

短池孤草長(단지고초장) /작은 못에는 듬성듬성 난 풀이 길게 자라고.

看章細覺情(간장세각정) /글을 읽을 때는 자세한 그 뜻을 깨달아야 한다.

渭水秦京道(위수진경도) /위수는 진나라 도읍으로 가는 물길이고,

靑雲洛水橋(청운낙수교) /큰 뜻이 있는 사람은 낙수 다리를 건너라!

渭(위)/강이름　秦(진)/나라이름/벼이름　洛(낙)/강이름

☞위의 두 줄, 단지에 고추장, 간장 세 각정이(세종지)

○洛水(낙수)=중국의 고도 낙양을 지나 황하로 흐르는 강 이름

渭水(위수)=중국의 옛 도읍지 장안을 돌아 황하로 들어가는 강 이름.

◉탱자도 위수를 건너면 귤이 된다는 속담이 있습니다. 품은 뜻이 있으면 그것을 펼칠 수 있는 곳으로 과감히 진출하라는 말이죠.

jplenio

No.391

※孫子에게 勸하는 漢詩 -이창동-
손자 권 한시

學習纔攄得 /배우고 익혀 깨달았으니
학습 재 터득

硏修敢進前 /갈고 닦아 남보다 먼저 굳세게 나아가라!
연수 감 진 전

路遙知馬力 /먼 길을 달려봐야 말의 힘을 알고
로 요 지 마력

日久見人心 /오래 지내봐야 그 사람의 속마음을 알아본다.
일 구 견 인 심

纔/겨우 攄/펼 硏/갈 遙/멀 簡字體는 才 遙=멀리갈,
재 터 연 요 간 자 체 재 요

※觀瀾寺樓 -金富軾-
관란사루

六月人間暑氣融/6월 무더윌에 사람들이
육 월 인간 서기 융

녹아나는데(지처가는데)

江樓終日足淸風/강가에 솟은 다락에는 종일 맑은 바람이
강 루 종일 족 청 풍

넉넉하네

山容水色無今古/산 모습과 물빛갈은 지금이나 옛날이나
산용 수색 무 금고

다름이 없네

俗態人情有異同/풍속과 인정이 다른 것도 있고 같은 것도
속태 인정 유 이동

있네.

舴艋獨行明鏡裡/거룻배는 거울 속에서 외로이 가고,
책맹 독행 명경 리

鷺鷀雙去畫圖中/자고새는 그림 속에서 짝을 지어 논다
로 자 쌍 거 화 도 중

堪嗟世事如銜勒/슬프다 세상일은 재갈과 같아,
감 차 세 사 여 함 륵

不放衰遲一禿翁/대머리 진 이 늙은이를 놓아주지 않는구나.
불 방 쇠 지 일 독옹

瀾/물결 融/화할 俗/풍속 舴/작은배=艋 堪/견딜
란 융 속 책 맹 감

嗟/탄식할 銜/재갈 勒/굴레 禿/대머리 鷺/해오라기
차 함 륵 독 로

鷀/자고(메추라기 종)
자

⦿金富軾/ 高麗 仁宗, 毅宗 때 宰相, 妙淸의 亂을
김부식 고려 인종 의종 재상 묘청 난

平定하고(三國史記)를 씀
평정 삼국사기

☞押韻=東韻 上平聲(融 風 同 中 翁)
압 운 동 운 상평 성 융 풍 동 중 옹

○鷺鷀=꿩 비슷한 자고새 舴艋=작은 배 衰遲=힘없고 둔함
로 자 책맹 쇠 지

※이 시는 1,2구 끝에(韻脚)融,風자가 韻이고,4구에 同,6구에
운각 융 풍 운 동

中.8구에 翁,모두 上平聲의 東자가 韻임.
중 옹 상평 성 동 운

No.392

※採石江月/採石江의 달 -梅堯臣-
채석 강월 채석 강 매요신

採石月下訪謫仙/채석강 달빛아래로 귀양온 신선을 찾아갔더니,
채석 월하 방 적 선

夜披錦袍坐釣船/달밤에 비단한옷 입고 고깃배에 앉아 있었네
야 피 금 포 좌 조선

醉中愛月江底懸/술에 취하여,강물에 비친 사랑하는 달을
취중 애 월 강 저 현

以手弄月身飜然/손으로 움켜쥐려다 강물속에 빠졌다네
이 수 농 월 신 번 연

不應暴落肌蛟涎/물속 깊이 떨어질 리 없어 이무기의 밥을 면하고
불응 폭락 기 교 연

便當騎鯨上青天/당장 고래 타고 푸른 하늘에 올라갔다네
편 당 기 경 상 청 천

青山有冢人謾傳/청산에 그의 무덤이 있다고 사람들이 거짓말 하지만
청 산 유 총 인 만 전

却來人間知幾年/그가 인간세상에 돌아 지 얼마나 되는지 아는가?
각 래 인간 지 기 년

堯/요임금 謫/귀양갈 披/나눌 袍/핫옷(뚜거운 겨울옷)
요 적 피 포

飜/뒤칠 肌/살,근육 蛟/교룡 涎/침 冢/무덤 謾/속일
번 기 교 연 총 만

☞梅堯臣 號는 聖兪, 中國 北宋 때 詩人
매요신 호 성 유 중국 북송 시인

押韻=先韻 下平聲(仙 船 然 天 年) ⊙謫仙=李白의 別號
압 운 선 운 하평성 선 선 연 천 년 적선 이백 별호

採石江은 中國 安휘성에 있는데 강가의 李白의 무덤이 있다고 전함.
채석 강 중국 안 이백

No.393

※採蓮曲 -李 白-
채련 곡 이 백

若耶溪傍採蓮女/야계의 물가에서 연밥 따는 아가씨들,
약 야 계 방 채 련 여

笑隔荷花共人語/웃으며 연꽃을 사이에 두고 이야기 한다,
소 격 하화 공 인 어

日照新粧水底明/단장한 얼굴을 해가 비추니 물속까지
일조 신장 수저 명

환해지고,

風飄香袖空中擧/회오리 바람은 향기로운 소맷자락을 공중으로
풍 표 향 수 공중 거

들어 올린다.

耶/어조사/의문사 傍/곁 荷/연/책망하다 粧/단장할
야 방 하 장

岸上誰家遊冶郎/언덕위에 뉘 집 풍류객인가.
안 상 수 가 유 야 랑

三三五五映垂楊/삼삼오오 짝을 지어 수양버들 사이로 오가는
삼삼오오 영 수 양

게 보인다

紫騮嘶入落花去/자류마 길게 울며 지는 꽃잎 속으로 사라지니,
자 류 시 입 낙 화 거

見此躊躇空斷腸/연꽃 따던 아가씨들 말도 못하고 애만 태운다.
견 차 주 저 공 단장

冶/불릴/장식하다 朗/밝을 垂/드리울
야 랑 수

騮/월따말/털빛이붉고/ 갈기가 검은 말 嘶/울
류 시

○若耶溪=중국 회계 땅에 있는 강 冶郎=잘 차려입은 남자
약 야 계 야랑

No.393

※上李邕=李泰和公에게 드림 -李 白-
상 이 옹 이 태 화 공 이 백

大鵬一日同風起/붕새는 어느 날 바람과 함께 일어나,
대붕 일일 동풍 기

扶搖直上九萬路/회오리바람 타고 곧장 구만리길 날아오른다네,
부 요 직상 구 만 로

假令風歇時下來/혹시 바람 멎어 내려오게 되더라도,
가령 풍 헐 시하 래

猶能簸却滄海渡/날개를 쳐서 질푸른 바닷물 건널 수 있네,
유 능 파 각 창해 도

世人見我恒殊調/세상 사람들이 나를 보고 생활과 생각이 항상
세인 견 아 항 수 조

다르다며,

聞余大言皆冷笑/높고 큰 내 말 듣고도 모두 비웃네,
문 여 대 언 개 냉소

宣父猶能畏後生/공자께서도 젊은이들을 敬畏 하셨으니,
선 부 유 능 외 후생 경외

丈夫未可輕年少/大丈夫는 젊은이를 가벼이 여겨서는 안 되네,
장부 미 가 경 년 소 대장부

邕/화할 扶/도울 搖/흔들일 歇/쉴 簸/까부를
옹 부 요 헐 파

殊/죽일 猶/오히려 畏/두려워할
수 유 외

○大鵬=큰 새, 큰 인물, 여기서는 이옹을 가리킴
대붕

扶搖=회오리바람 簸却=파각, 키질, 바람을 일으킴, 날개짓을 함
부 요 파 각

宣父=孔子의 尊稱
선 부 공자 존칭

☞李邕의 자는 泰和 中國 唐나라 則天武后 때 뛰어난
이옹 태 화 중국 당 측천무후

官吏였다, 顯宗 때 남의 시샘을 받아 매를 맞는 刑罰을 받고
관리 현종 형벌

죽음 李白이 李邕을 尊敬하여 드리는 글.
이백 이옹 존경

No.394

※定惠院 海棠花 -蘇 軾-
정 혜 원 해당화 소 식

江城地瘴蕃草木/무덥고 습기 많아 초목 무성한 황주 땅에.
강 성 지 장 번 초 목

只有名花苦幽獨/**이름 높은 해당화 한 그루 외롭게 서 있네**
지 유 명화 고 유 독

嫣然一笑竹籬間/**대나무 사이에 방긋 웃듯 피어 있는 모습이**
언 연 일소 죽리 간

桃李漫山總麤俗/**온 산에 피어 있는 복숭아와 오얏 꽃을**
도리 만 산 총 추 속

속되다고 생각 하게 하네,

也知造物有深意/**알겠노라 조물주가 깊은 뜻을 가지고 계셔,**
야 지 조 물 유 심 의

故遣佳人在空谷/**일부러 빼어난 미인을 빈 골짜기에**
고 견 가인 재 공 곡

보내셨음을,

自然富貴出天姿/**절로 갖춰진 부귀한 모습은 타고난 기품이니,**
자연 부귀 출천 자

不待金盤薦華屋/**황금쟁반에 담겨 궁전에 헌상되길 기다릴 것**
부 대 금반 천 화 옥

없네

棠/**팔배나부/해당화** 蘇/**차조기/소생하다** 瘴/**장기/풍토병**
당 소 장

蕃/**우거질** 嫣/**싱긋웃을** 漫/**질펀할** 麤/**거칠** 俗/**풍속**
번 언 만 추 속

○江城=中國 **호북성의 황주** 名花=海棠花**를 가리킴**
강 성 중국 명화 해당화

麤俗=**거칠고 속됨** 天姿=**천성으로 타고난 자태**
추 속 천자

華屋=**대궐같이 화려한 집,**
화옥

⊙通韻=**속운은 다르나 음질이 거의 비슷한 글자를 통운으로**
통운

규장전운에 분류되어 있다,

예/입성 屋**자 말미에**“通,沃 覺”**이라 쓰여 있다, 이는**屋 **속**
옥 통 옥 각 옥

운자와沃, 覺**속 운자는 섞어서 쓸 수 있다는 말이다.**
옥 각

No.395

※次大同江 韻/大同江의 운을 따옴 -李 達-
차 대 동 강 운 대동강 이 달

蓮葉參差蓮子多/연잎은 헝클어지고 연밥은 많고,
연엽 참 차 연자 다

蓮花上間女郎歌/남여의 노랫소리 연꽃과 어울리네,
연화 상간 여 랑 가

來時約伴橫塘口/橫塘 못 들머리에서 만나자는 약속이기에,
래 시 약 반 횡 당 구 횡 당

辛苦移舟逆上波/힘들게 배를 돌려 물 거슬러 올라가네.
신고 이 주 역 상 파

參/가여할 差/어긋날/실수 塘/못 參差=가지런하지 않는 모양,
참 차 당 참 차

흩어진 모양, 헝클러진 모양.

女郎=처녀 총각, 남자와 여자. 約伴=親舊하기로 약속함
여 랑 약 반 친구

짝하기로 약속함 만나기로 약속함. 辛苦=괴롭다,에쓰다 힘들다
신고

☞次韻은 남이 지은 시의 韻字을 順序를 바꾸지 않고 그대로
차운 운자 순서

따라서 내용만 다르게 지은 詩,
시

和韻은 남이지은 시의 韻을 그대로 따와서 내용을 그 시에
화운 운

答狀 形式으로 쓰는 시 이 시는 大同江의 韻을 그대로 쓴
답장 형식 대동강 운

것이기에 次韻이라 함, 次韻은 模倣이 아니고 운만 꾸어 왔을
차운 차운 모방

뿐 創作임.
창작

⊙李達 號는 蓀谷 朝鮮 中期義 大詩人 蓀/향풀이름
이달 호 손곡 조선 중기 의 대 시 인 손

No.396

※春望詞/同心草 -설 도-
춘 망 사 동심 초

이 시를 김소월의 스승 김억이 동심초라는 이름으로 번역하여 노래 가사를 만들었다.

風花日將老/꽃잎은 하염없이 바람에 지고.
풍 화 일 장 노

佳期猶渺渺/만날 날은 아득타,기약이 없네,
가 기 유 묘 묘

不結同心人/무어라, 맘과 맘은 맺지 못하고
불 결 동 심 인

空結同心草/한갓되이 풀잎만 맺으려는고.
공 결 동 심 초

渺/아득할
묘

○風花=바람에 날리는 꽃
풍 화

日將老=늙어가는, 시들어 가는,
일 장 노

佳期=즐거운 약속, 아름다운 만남.
가 기

No.397

※蛾眉山 月歌/蛾眉山의 달노래 -李 白-
아미 산 월가 아미 산 이 백

蛾眉山月半輪秋/아미산에 반달 걸린 가을 밤
아미 산 월 반륜 추

影入平羌江水溜/달그림자 평강가에 어려 물 따라 흐른다
영 입 평 강 강수 류

夜發淸溪向三峽/**밤에 청계를 떠나 삼협으로 향하노니**
야 발 청계 향 삼 협

思君不見下渝州/**사랑하는 님 못보고 투주로 떠나가네**
사 군 불 견 하 투 주

蛾/**나방/미인의 눈썹** 羌/**종족이름/굳세다** 溜/**방울저 떨어질**
아 강 류

渝/**달라지다**
투

☞蛾眉,平羌,淸溪,三峽,渝州**는 모두** 中國 揚子江 上流**의**
아미 평 강 청계 삼 협 투 주 중국 양자 강 상류

四川省 近方**에 있는 지명임,**
사 천 성 근방

이 시는 李白**이 지은 수천 편의 시 중에서도** 上篇**에**
이백 상편

들어간다는 시다 특히 평측과 대가 잘 맞아 중국 당나라 현종이 양귀비와 같이 즐겨듣는 노래 가사 중의 하나라고 전한다.

No.398

※春江花月夜 -張若虛-
춘강 화월 야 장 약 허

江畔何人初見月/강가에서 누가 처음 달을 보았나,
강반 하인 초견 월

江月何年初照人/강달은 언제 처음 사람을 비추었을까?
강월 하년 초 조 인

人生代代無窮已/사람은 대대로 살아 끝이 없고,
인생 대대 무궁 이

江月年年祇相似/달은 해마다 이처럼 빛을 던졌으리,
강월 년 년 지 상 사

不知江月待何人/강달이 누구를 기다리는지 알 수 없으니,
부지 강월 대 하 인

但見長江送流水/다만 보이는 것은 동쪽으로 흐르는 장강의 물뿐.
단 견 장강 송 류 수

畔/두둑 祇/공경할 但/다만
반 지 단

☞張若虛/中國 唐 中期 詩人
장 약 허 중국 당 중기 시인

No.399

※被謫北塞/북쪽 邊方에서 귀양을 살며 -尹善道-
피 적 북새 변방 윤선도

歎息狂歌哭失聲/사나운 노래 슬퍼서 우는 울음소리도 내지 못함을 탄식하니
탄식 광 가 곡 실성

男兒志氣意難平/사나이 뜻과 기상이 편안하기 어렵구나,
남아 지기 의 난 평

西山日暮群鴉亂/서산에 해 저물어 갈가마귀들이 어지렵고,
서산 일모 군 아 란

北塞霜寒獨鴈鳴/북쪽 변방 찬서리에 외기러기 울어 대네,
북새 상 한 독 안 명

千里客心驚歲晩/천리 밖의 나그네는 한해가 저무는데 놀라고,
천리 객심 경 세 만

一方民意畏天傾/한쪽 백성의 뜻에 하늘이 기우는 것 두렵네,
일방 민의 외 천 경

不如無目兼無耳/차라리 눈도 없고 귀도 없어,
불 여 무 목 겸 무 이

歸臥林泉畢此生/자연 속으로 돌아가 이 몸 평생을 마치고져.
귀와 임천 필 차생

鴉/갈가마귀 畏/두려워할 傾/기울 畢/마칠
아 외 경 필

⊙尹善道 字는 約而 號는 孤山, 朝鮮 中期의 大時調作家,
윤선도 자 약이 호 고산 조선 중기 대 시조 작가

禮曹參義를 지냄 諡號는 忠憲公,
예 조 참 의 시호 충 헌 공

☞西山日暮群鴉亂=임금은 늙어 멍청하고 간신들은 설치고,
서산 일모 군 아 난

林泉=숲과 샘, 나무와 물, 즉 자연,
임천

※有所思 -宋之問-
유 소 사 송지문

洛陽城東桃李花/낙양성 동쪽의 복숭아와 오얏꽃은.
낙양 성동 도리화

飛來飛去落誰家/이리저리 날리며 뉘 집으로 떨어지는가
비래 비 거 낙 수 가

幽閨兒女惜顔色/규방의 아가씨는 낯빛을 아끼어
유규 아녀 석 안 색

坐見落花長歎息/떨어지는 꽃을 보며 길게 탄식하네
좌 견 낙화 장탄식

今年花落顔色改/올해 꽃 지면 낯빛도 바뀔 테니
금년 화 락 안색 개

明年花開復誰在/내년 꽃필 때엔 뉘 얼굴이 지금 그대로일까?
명년 화 개 부 수 재

己見松柏摧爲薪/소나무와 잣나무는 이미 땔감으로 잘려
기 견 송백 최 위 신

나가는 것을 보았고.

更聞桑田變成海/뽕나무밭이 변하여 바다가 되었다는 말 또
갱문 상전 변성 해

들었네.

古人無復洛城東/옛사람 낙양성 동쪽으로 다시 돌아오지
고인 무 부 낙 성 동

못하고

今人還對落花風/지금 사람만이 꽃을 지우는 바람 앞에 서있네
금 인 환 대 낙화 풍

年年歲歲花相使/해가 가도 피는 꽃은 똑같은데.
연년 세세 화 상 사

歲歲年年仁不同/해는 갈수록 사람은 달라지네
세세 년 년 인 부 동

奇言全盛紅顔子/낯빛 붉은 젊은이에게 부탁하노니
기언 전성 홍안 자

須憐半死白頭翁/반죽음된 흰머리노인 가엾게 생각하네
수 련 반사 백두 옹

洛/강이름 桃/복숭아 惜/아낄 摧/산높고 험할 使/하여금
낙 도 석 최 사

須/모름지기 憐/불쌍히여길
수 련

○洛陽城=中國 河南省에 있는 古都
낙양 성 중국 하 남 성 고 도

桑田變成海=桑田碧海라는 말이 여기서 처음으로 나왔다는
상전 변성 해 상전벽해

주장도 있음

●이 시는 고시체로서 몇 구가 더 계속된다, 이런 여러 구의 시도 있다는 것을 적어본 것이다.

No.400

※登黃鶴樓/黃鶴樓에 올라서 -崔 顥-
등황학루 황학 루 최 호

昔人已乘黃鶴去/옛사람은 이미 황학 타고 가버리고
석인 이 승 황학 거

此地空餘黃鶴樓/이곳에는 학이 없는 황학루만 남았네
차지 공 여 황학 루

黃鶴一去不復返/한번 떠난 황학은 돌아올 줄 모르고
황학 일거 불 부 반

白雲千載空悠悠/흰 구름만 천년 두고 아득하게 떠 있네
백운 천재 공 유 유

晴川歷歷漢陽樹/물 맑은 장강 저쪽 한양엔 나무들 모습
청 천 역 역 한양 수

또렷하고,

春草萋萋鸚鵡洲/강 가운데 앵무주에는 봄풀이 무성하네.
춘초 처처 앵무 주

日暮鄕關何處是/날은 저무는데 내 고향은 어디쯤일까?
일모 향관 하처 시

煙波江上使人愁/강 위에 서린 안개가 나그네를 시름에 적게
연 파 강상 사인 수

하네.

顥/클 載/실을 悠/멀 萋/풀성하게 우거짐모양 洲/섬
호 재 유 처 주

愁/시름
수

○千載=千年 漢陽=中國 호북성 서안에 있는 도시 이름
천 재 천년 한양 중국

鸚鵡洲=호북성 서안의 무창앞 강 가운데 있는 모래섬.
앵무 주

鄕關=故鄕 ☞崔顥/中國 唐나라 中期 詩人
향관 고향 최 호 중국 당 중기 시인

이 시는 崔顥가 늘그막에 지은 詩라고 전한다, 韻과對와
최 호 시 운 대

平(평)측이 너무나 잘 맞아서 天下(천하)의 詩人(시인) 李白(이백)도 감히 그 자리에서 맞서지 못하고 그 뒤에 금릉의 봉황대시를 지어 이 黃鶴樓(황학루) 詩(시)와 대를 이루어 둘 다 天下(천하)의 名詩(명시)로 꼽힌다.

No.401

※登(등) 金陵鳳凰臺(금릉봉황대)/金陵(금릉) 鳳凰臺(봉황대)에 오름 -李白(이백)-

鳳凰臺上鳳凰遊(봉황대상봉황유)/옛적 봉황대 위에서 봉황이 놀았다더니,

鳳去臺空江自流(봉거대공강자류)/봉황이 날아갔으니 대는 비고 강물은 저절로 흘러가네

吳宮花草埋幽徑(오궁화초매유경)/오나라 궁전 터의 화초는 오솔길도 못 찾게 우거져 있고.

晉代衣冠成古丘(진대의관성고구)/진대의 귀인들 무덤은 묵은 언덕 같네

三山半落青天外(삼산반락청천외)/삼산은 반쯤 푸른 하늘 위로 솟아 있고

二水中分白鷺洲(이수중분백로주)/백로주를 사이에 두고 두 물줄기가 갈라 흐른다

總爲浮雲能蔽日(총위부운능폐일)/뜬 구름이 온통 해를 가리어

長安不見使人愁(장안불견사인수)/장안이 보이지 않아 근심스럽다.

埋(매)/묻을 洲(주)/섬 蔽(폐)/덮을

○金陵(금능)=지금의 남경 吳宮(오궁)=옛 오나라의 궁전 터

長安(장안)=당시 당나라의 수도

☞3구의 "吳宮花草(오궁화초)"와 4구의 "晉代衣冠(진대의관)"이 對(대),

5구의 "三山半落(삼산반락)"와 6구의 "二水中分(이수중분)"이 對(대)

이 시는 이태백이 위에 쓴 무창의 등황학루 시를 보고 주눅이 들어 시름 하다가 평생의 지혜를 짜내어 지었다는 천하의 명시다 대가 분명하고 평측이 정확하다.

No.402

※山中(산중)=산속에서 -鄭道傳(정도전)-

弊業山峰下(폐업산봉하)/삼봉산 밑에서 업을 마치고,

歸來松徑秋(귀래송경추)/돌아오는 솔밭 길은 가을이 깊네,

家貧放養疾(가빈방양질)/집이 가난해서 병 고침에 방해되나,

心靜足忘憂(심정족망우)/마음이 고요하매 시름 잊기 넉넉하네,

護竹開迂徑(호죽개우경)/대를 보호하려 길을 돌리고,

憐山起小樓(연산기소루)/산이 어여뻐서 작은 다락을 지었네,

鄰僧來問字(인승래문자)/이웃의 중이 와서 글자를 묻기에,

盡日爲相留(진일위상류)/온종일 붙들어 두고 이야기하네.

蔽(폐)/덮을 徑(경)/지름길 迂(우)/멀 留(류)/머무를

○蔽業(폐업)=업을 마침 養疾(양질)=병을 치료함 盡日(진일)=해가 지도록

☞이 詩(시)에는 3구의 "집이 가난해도"와 4구의"마음이 넉넉하게"가 대가 되고 5구의"대를 保護(보호)하고"와 6구의"산을 사랑한다"가 대가 된다

No.403

※夜坐(야좌)=밤에 앉아 -金尙憲(김상헌)-

高樹凉風動(고수량풍동)/높은 나무는 차가운 바람에 흔들리고,

危巢露鵲寒(위소로작한)/위태로운 봉우리에는 이슬에 젖은 까치가 추워진다.

月華當戶碎(월화당호쇄)/달빛은 창에 부딪혀 부서지고,

山氣入懷寬(산기입회관)/산기운은 너그러운 마음을 품게하네

落落生平志(낙락생평지)/곧고 곧은 평생의 뜻이여.

依依死別顏(의의사별안)/죽으려 떠나던 얼굴 아련하구나

一身兼百慮(일신겸백려)/온갖 시름 한 몸에 지녔듯이

孤坐到宵殘(고좌도소잔)/외로이 앉아 있으려니 밤이 새었네

尙(상)/오히려 巢(소)/집 碎(쇄)/부슬 懷(회)/품을 寬(관)/너그러울

○高樹(고수)=남보다 뛰어난(별난)사람/丙子胡亂(병자호란) 때 斥和(척화) 主張(주장)을 하다가 강화도에서 죽은 형 金尙鎔(김상용)과 그 동지들을 그리는

마음으로 推定**됨.**
추정

⊙金尙憲**/호는** 淸陰 左議政**을 지냄,** 朝鮮 仁祖 **때** 丙子胡亂
김상헌 청음 좌 의정 조선 인조 병자호란

當時**의** 斥和派**,** 瀋陽**까지 끌려가 고생했다**
당시 척화 파 심 양

No.404

※無題 -金時習-
무제 김시습

終日芒鞋信脚行**/하루 종일 짚신 신고 걸어갔더니,**
종일 망혜 신 각 행

一山行盡一山靑**/한 산 다 가고 나면 또 한 산이 푸르네,**
일 산 행 진 일 산 청

心非有想奚形役**/마음에 생각 없거니와 어찌 몸에 끌려**
심 비 유 상 계 형역

부림당할까,

道本無名豈假成**/도는 본래 이름 없거니 어찌 거짓으로 이루리**
도 본 무명 기 가 성

宿露未晞山鳥語**/밤에 내린 이슬 깨지 않고 산새는 지저귀고,**
숙 로 미 희 산 조 어

春風不盡野花明**/봄바람 끊이잖아 들의 꽃이 밝아라,**
춘풍 부진 야 화 명

短笻歸去千峰靜**/짧은 지팡이로 돌아가는 산길은 고요하고,**
단 공 귀 거 천 봉 정

翠壁亂煙生晩晴**/저녁 비 갠 푸른 절벽엔 안개만 어지럽네.**
취벽 난 연 생 만청

鞋**/짚신** 脚**/다리** 奚**/이을** 晞**/마를** 笻**/지팡이/대이름**
혜 희 공

○芒鞋**=짚신,** 麻鞋**(삼신)** 信脚**=발길 닫는 대로** 奚形**=형상에**
망혜 마혜 신 각 계 형

얽매임 奚形役**=육신에 얽매여 수고로운 것**
계 형역

No.405

※送人 -令孃妓生-
송인 영양 기생

弄珠灘上魂欲消/사랑을 나눈 시냇가에서 임을 보내고
농주 탄 상 혼 욕 소

獨把離懷寄酒樽/외로이 잔을 들어 하소연 할 때
독 파 이회 기 주 준

無限煙花不留意/피고 지는 저 꽃 내 뜻 모르니
무한 연화 불 류 의

忍教芳草怨王孫/오지 않는 임을 원망하게 하리,
인 교 방초 원 왕 손

灘/여울 消/사라질 把/잡을 寄/부칠 限/한계
파

☞弄珠=戀人과 함께 사랑을 속삭임
농주 연인

※送人 -揚揚 妓生-

弄珠灘上魂欲消/사랑을 나눈 시냇가에서 임을 보내고

獨把離懷寄酒樽/외로이 잔을 들어 하소연할 때
이회 기 주 준

無限煙花不留意/피고 지는 저 꽃 내 뜻 모르니
무한 연화 불 류 의

忍教芳草怨王孫/오지 않는 임을 원망하게 하리
인 교 방초 원 왕 손

灘/여울 消/사라질 把/잡을 煙/연기
탄 소 파 연

☞弄珠=연인과 함께 사랑을 속삭임
농주

No.406

※西山大師 入寂頌 -西山大師-
서산대사 입적 송 서산대사

空手來空手去是人生/**빈 손으로 가는 것 이것이 인생이다.**
공수래공수거 시 인 생

生從何處來 死向何處去/**태어남은 어디서 오며 죽음은 어디로 가는가?**
생 종 하 처 래 사 향 하처 거

生也一片浮雲起/**삶이란 한 조각구름이 일어남 이오**
생 야 일편 부운 기

死也一片浮雲滅/**죽음이란 한 조각구름이 사라짐이다.**
사 야 일편 부운 멸

浮雲自身本無實/**구름은 본시 실체가 없는 것**
부운 자신 본 무 실

生死去來亦如然/**죽고 살고 오고 감이 모두 그와 같도다**
생사 거래 역 여 연

獨有一物常獨露/**그러나 여기 마음이 항상 홀로 있어**
독 유 일 물 상 독 로

澹然不隨於生死/**당연히 생사를 따르지 않도다.**
담 연 불 수 어 생사

頌/**기릴** 澹/**담박할**
송 담

김경복

No.407

※山中與人對酌 -李 白-
산중 여 인 대작 이 백

兩人對酌山花開/친구와 술을 마시는데 산에는 꽃이 피네
양인 대작 산 화 개

一杯一杯復一盃/한잔 한잔 또 한잔에
일배 일배 부 일 배

我醉慾眠君且去/어느덧 술은 취하고 잠이 오는구나 친구야 가거든
아 취 욕 면 군 차 거

明朝有意抱琴來/내일 아침에 거문고 안고 오게나.
명조 유의 포 금 래

且/또/잠간 抱/안을
차 포

☞李白(701~762)
이백

中國 唐나라 詩人 字는 太白 號는 靑蓮居士 농서군 成紀縣 지금의 甘肅省泰安縣 附近) 杜甫와 함께 "李杜"라고 일컫어진다, 杜甫를 詩聖, 王維를 詩佛, 李白을 詩仙이라고 한다.
중국 당 시인 자 태백 호 청 련 거사 성 기 현 감 숙 성 태안 현 부근 두보 이 두 두보 시성 왕유 시 불 이백 시선

※盛唐을 대표하는 詩人으로서의 李白은 人間,時代. 자신에 대한 큰 氣槪.自負心을 詩로 노래했다.
성 당 시인 이백 인간 시대 기개 자부심 시

No.408

※尋春 -宋 妮-
심 춘 송 이

終日尋春不見春/종일 봄을 찾았으나 봄은 보지못했네
종일 심 춘 불 견 춘

芒鞋踏破嶺頭雲/짚신 신고 고개마루 구름가까이 다 헤메다가
망혜 답파 령 두 운

掃來偶把梅花臭/돌아올 때 우연히 향기를 맡으니
소 래 우 파 매화 취

春在枝上已十分/봄은 가지위에 벌써 와 있네.
춘 재 지 상 이 십 분

※探梅 -梅月堂-
탐매 매월당

大枝小枝雪千堆/큰 가지 작은 가지 일천 무더긴데
대 지 소 지 설 천 퇴

溫暖應知知次第開/따뜻하면차례대로 피는 줄 응당 알겠네
온난 응 지 지 차 제 개

玉骨貞魂雖不語/옥 같은 뼈 곧은 넋은 말하지 않지만
옥골 정 혼 수 불 어

南條春意最先胚/남쪽 가지는 봄뜻을 가장 먼저 알았구나
남 조 춘의 최선 배

大枝蟠屈小枝糾/큰 가지 서려 굽고 작은 가지는 얽혔는데
대 지 반 굴 소 지 규

一幹斜橫杜若洲/한 줄기杜若洲에 가로 비껴있구나
일 간 사 횡 두약 주 두약 주

探/찾을 堆/언덕/쌓이다 雖/비록 胚/아이밸/엉기다
탐 퇴 수 배

蟠/서리다/두드리다 糾/꼴 幹/줄기 若/같을 洲/섬
반 규 간 주

cgcowboy

No.409

※歷史家義 重要한 原則 -安鼎福-
역사가 의 중요 원칙 안정복

史家大法,明統系也,嚴簒逆也,
사가 대법 명 통 계 야 엄 찬역 야

正是非也,褒忠節也,詳典章也,
정 시 비 야 포 충절 야 상 전 장 야

系/이을 簒/빼앗을 褒/기릴 詳/자세할
계 상

☞歷史家의 가장 重要한 原則은,系統을 밝히고,簒逆을 嚴히
역사가 중요 원칙 계통 찬역 엄

하고 是非를 바로잡고, 忠節을 褒揚河鼓, 典章을 자세히 하는
시비 충절 포양 하고 전 장

것이다.

⊙順庵 安鼎福(1712~1791) 朝鮮後期 代表的인 歷史家의 한
순 암 안정복 조선 후기 대표적 역사가

사람

※허물을 살피되 -申 欽-
신 흠

見己之過 不見人之過 君子也,
견 기 지 과 불 견 인 지 과 군자 야

見人之過 不見己之過 小人也.
견 인 지 과 불 기 지 과 소인 야

☞자기의 허물만 보고 남의 허물은 보지 않는 이는 君子이고,
군자

남의 허물만 보고 자기의 허물은 보지 않는 이는 小人이다.
소인

⊙象村 申欽(1566~1628) 朝鮮 中期의 文臣 의 말씀이다
상촌 신흠 조선 중기 문신

欽/공경할
흠

No.410

※多情歌 -李兆年-
다정 가 이 조 년

梨花月白三更天/하얗게 핀 배꽃에 달은 환히 비추고
이화 월 백 삼경 천

啼血聲聲怨杜鵑/은하수가 삼경(자정 무렵)을 가리키는 한밤중에
제 혈 성 성 원 두견

盡覺多情原是病/배나무 가지에 어린 봄의 정감을 소쩍새가 알겠느냐
진 각 다정 원 시 병

不關人事不成眠/다정다감함도 병인 듯 하여 잠을 이룰 수가 없노라
불관 인 사 불 성 면

☞梨花에 月白하고 銀漢이 三更인 제 一枝春心을 子規야 알겠느냐만
이화 월 백 은한 삼경 일지춘 심 자규

多情도 病인 것 같아 잠 못 들어 하노라
다정 병

No.411

※俗談과 格言
격언

陰地轉하여 陽地變이라 -靑莊館全書-
음지 전 양지 변 청장관전서

☞음지가 변하여 양지로 변한다

窮人之事 飜亦破鼻라 -이담속찬-
궁인 지 사 번 역 파 비

飜/뒤칠/엎어지다

☞**窮한 사람의 일은 뒤로 넘어져도 코가 깨진다.**
궁

智者**라도** 千慮一失**이요,** 愚者**라도** 千慮一得**이니라**
지자 천려일실 우자 천려일득

☞**지혜로운 자라도 천 번 생각하여 한번 잃음이 있고,**
어리석은 자라도 천 번 생각하면 한번 얻음이 있다 -史 記-
사 기

新沐者**는** 必彈冠**이요,** 新浴者**는** 必振衣**니라**
신 목 자 필 탄 관 신 욕 자 필 진 의

沐**/머리감을** 彈**/탄알/털다** 振**/털다**
목

☞**새로 머리를 감은 사람은 갓을 털고**
새로 목욕을 한 사람은 반드시 옷을 턴다.

馬援**이** 曰 終身行善**이라도** 善猶不足**이요** 一日行惡**이라**
마원 왈 종신 행선 선 유 부족 일일 행악

도 惡自有餘**이니라.** 援**/도울** 猶**/오히**
악 자 유여 원 유

☞馬援**이 가로되 몸을 마치도록** 善**을** 行**하더라도** 善**은 오히려**
마원 선 행 선

不足**하고 하루** 惡**을** 行**하더라도** 惡**은 스스로 남음이 있느니라**
부족 악 행 악

愛人者**는** 人恒愛之**하고** 敬人者**는** 人恒敬之 **니라**
애인 자 인 항 애 지 경인 자 인 항 경 지

☞**남을 사랑하는 자는 남도** 恒常 **사랑하고**
항상

남을 恭敬**하는 자는 남도** 恒常 恭敬**하느니라.**
공경 항상 공경

言行相符를 謂之正人이요, 言行相悖를 謂之小人이라
언행 상부 위 지 정인 언행 상 패 위 지 소인

符/부신 謂/이를/알리다 悖/어그러질

☞말과 行實이 서로 符合된 것을 바른 사람이라고 이르고
행실 부합

말고 行實이 서로 어긋나는 것을 小人이라 이르느니라.
행실 소인

儉은 德之共也요, 侈는惡之大也니, 與其侈也론 寧儉이라.
검 덕 지 공 야 치 악 지 대 야 여 기 치 야 영 검

儉/검소할 侈/사치할 與/줄/베풀다
검 치

☞儉素함은 德과 한가지요, 奢侈는 惡中에 큰 것이니 그
검소 덕 사치 악 중

奢侈하기 보다는 차라리 儉素해야 하니라.
사치 검소

奢侈之害는 甚於天災니 家道旣窮이면 鮮不爲濫이라,
지 해 심 어 천 재 가도 기 궁 선 불 위 람

故로 居家에 以節儉으로 爲先이니라 -보한재집-
고 거가 이 절 검 위선

奢/사치할 旣/이미 鮮/고울 濫/넘칠/퍼질
사 선 람

☞奢侈의 害는 하늘이 내린 災殃보다 더 甚하니 家庭의
사치 해 재앙 심 가정

道理가 이미 다하면 함부로 행동하지 않음이 적다, 그러므로
도리

집에 있을 때에는 節約과 儉素로써 于先을 살아야 한다.
절약 검소 우선

No.412

※探梅 -梅月堂-
매월당

大枝小枝雪千堆/큰 가지 작은 가지 일천 무더긴데
대 지 소 지 설 천 퇴

溫暖應知知次第開/따뜻하면 차례대로 피는 줄 응당 알겠네
온난 응 지 지 차제 개

玉骨貞魂雖不語/옥 같은 뼈 곧은 넋은 말하지 않지만
옥골 정 혼 수 불 어

南條春意最先胚/남쪽 가지는 봄뜻을 가장 먼지 배었구나.
남 조 춘의 최선 배

大枝蟠屈小枝糾/큰 가지 서려 굽고 작은 가지는 얽혔는데
대 지 반 굴 소 지 규

一幹斜橫杜若洲/한줄기 杜若酒에가로 비껴있구나.
일 간 사 횡 두 약 주 두약 주

雖/비록 胚/아이밸 蟠/서릴 屈/굽을 糾/꼴 幹/줄기
수 배 반 굴 규 간

※題伽倻山讀書堂 -孤雲 崔致遠-
제 가 야 산 독서 당 고운 최치원

狂奔疊石吼重巒 人語難分咫尺間
광분 첩 석 후 중만 인 어 난 분 지척 간

常恐是非聲到耳 故教流水盡籠山
상 공 시비 성 도 이 고 교 류 수 진 농 산

伽/절 倻/땅이름 奔/달릴 疊/겹쳐질 吼/울/아우성치다
가 야 첩 후

巒/뫼 咫/길이
만

☞바위골짝 내닫는 물 겹겹 산을 뒤흔드니
사람 말은 지척에도 분간하기 어려워라
옳으니 그르니 그 소리 듣기 싫어
내다든 계곡 물로 산을 온통 에워쌌네

⊙崔致遠(857~) 9世紀 統一新羅 末期의 學者이다
최치원 세기 통일 신라 말기 학자

高麗 顯宗 때인 1023年에 內史令으로 追增되었으며 文廟에
고려 현종 년 내사 령 추증 문묘

配享되며“文昌侯”라는 諡號를 받았다. 오늘날 慶州 崔氏의
배향 문 창 후 시호 경주 최 씨

始祖(시조)로 여겨지고 있다 中國(중국) 唐(당)나라에서 "討黃巢檄文(토황소격문)"으로 文章家(문장가)로서 이름을 떨쳤으며, 新羅(신라)로 돌아온 뒤에는 眞聖女王(진성여왕)에게 時務策(시무책)을 올려 政治(정치) 改革(개혁)을 推進(추진)하였다. 儒敎(유교),佛敎(불교), 道敎(도교)에 모두 理解(이해)가 깊었고 儒(유),佛(불),仙(선) 統合(통합) 思想(사상)을 提示(제시) 하였다, 수많은 詩文(시문)을 남겨 漢文學(한문학)의 發達(발달)에도 寄與(기여)하였다,

Irina Iriser

No.413

※歸去來辭 -陶淵明-
귀거래사 도연명

歸去來兮/**자, 돌아 가련다**
귀 거 래 혜

田園將蕪胡不歸/**고향 전원이 황폐해지려는데 어찌 돌아가지 않으리오**
전원 장 무 호 불귀

旣自以心爲形役/**이제껏 자신의 존귀한 정신을 친한 육체의 노예로 삼았으나**
기 자 이 심 위 형역

奚惆悵而獨悲/**어찌 슬퍼 탄식하여 홀로 서러워 하리**
해 추 창 이 독 비

悟已往之不諫/**지나간 인생은 후회해도 이미 쓸데없음을 깨달아**
오 이 왕 지 불 간

知來者之可追/**장래 인생을 쫓아 갈 수 있음을 알았네.**
지 래 자 지 가 추

實迷途其未遠/**실상 내가 인생길을 갈팡질팡한 것은 오래지 않았나니**
실 미도 기 미 원

覺今是而昨非/**지금이 바른 삶이요, 어제까지 그릇됨을 알았네.**
각 금 시 이 작 비

舟遙遙以輕颺/**고향가는 배는 흔들흔들 움직여 가볍게 흔들리고**
주 요 요 이 경 양

風飄飄而吹衣/**바람은 솔솔 옷깃에 불어온다.**
풍 표표 이 취 의

問征夫以前路/**길손에게 고향이 얼마나 머냐고 물어 보며**
문 정 부 이 전 로

恨晨光之熹微/**새벽빛 아직 희미하여 길 떠나지 못함을 한스러워한다**
한 신 광 지 희 미

乃瞻衡宇載欣載奔/마침내 우리 집 대문과 지붕을 보고 기뻐서 뛰어갔네
내 첨 형 우 재 흔 재 분

僮僕歡迎稚子候門/머슴들도 기뻐 마중나왔고 꼬마들은 대문께서 기다리고 있네.
동 복 환영 치 자 후 문

三徑就荒松菊猶存/집 마당의 세 줄기 오솔길은 황폐했으나 소나무와 국화는 나를 반기어
삼 경 취 황 송 국 유 존

携幼入室有酒盈樽/꼬마 손을 끌고 방에 들어가니 술이 가득 독에 담겨 있고
휴 유 입 실 유 주 영 준

引壺觴以自酌/항아리와 잔을 끌어당겨 혼자 마시며
인 호상 이 자 작

眄庭柯以怡顔/마당의 나무 보고 웃음짓는다
면 정 가 이 이 안

倚南窓以寄傲/남쪽 창가에 기대어 내키는 대로 움직이고
의 남창 이 기 오

審容膝之易安/무릅이나 들어갈 좁은 방이라도 편안히 있음을 알았네
심 용슬 지 이 안

園日涉以成趣/동산은 날마다 취향있는 경치로 바뀌고
원 일 섭 이 성 취

門雖設而常關/대문은 달았으나 언제나 닫힌 채로다
문 수 설 이 상관

策扶老以流憩/지팡이 짚어 늙어 몸 부축하여 걷다가는 쉬고
책 부 노 이 유 게

時矯首而遐觀/때때로 머리 들어 주위를 살핀다.
시 교 수 이 하 관

雲無心以出岫/구름은 산 굴속에서 나와서는 흘러가고
운 무 심 이 출 수

鳥倦飛而知還/새는 날기가 싫어져 둥지로 들어가네
조 권 비 이 지 환

景翳翳以將入/저녁 햇볕 그늘져 서산에 지려하고
경 예 예 이 장 입

撫孤松而盤桓/나는 마당의 외솔을 쓰다듬으며 거니네.
무 고 송 이 반 환

歸去來兮/돌아 가련다
귀 거 래 혜

請息交以絶游/세상 사람과 교유를 끊고
청 식 교 이 절 유

世與我而相遺/세상과 나는 서로 잊고 말지니
세 여 아 이 상 유

復駕言兮焉求/다시 한번 관리가 되어도 거기 무슨 구할 것이
부 가 언 혜 언 구

있으리오

悅親戚之情話/친처과 정겨운 이야기를 나누며 기뻐하고
열친 척 지 정 화

樂琴書以消憂/거문고와 책을 즐기며 시름을 지우련다
락 금서 이 소 우

農人告余以春及/농부가 찾아와 애게 봄소식 알려 주니
농인 고 여 이 춘 급

將有事于西疇/이제는 서쪽 밭에 갈이를 시작하자
장 유 사 우 서 주

或命巾車 或棹孤舟/어떤 때에는 장식한 수레를 명하고
혹 명건 거 혹 도 고주

어떤 때는 한 척의 배를 노저으리니

旣窈窕以尋壑/작은 배 저어 깊은 시내 골짜기를 찾아가고
기 요 조 이 심 학

亦崎嶇而經丘/장식한 수레 타고 험한 언덕 나아가리라
역 기 구 이 경 구

木欣欣以向榮/길가의 나무는 생기 있게 자라고
목 흔흔 이 향 영

泉涓涓而始流/샘물은 졸졸 흘러가네
천 연연 이 시 류

善萬物之得時/모든 만물 봄을 기뻐 맞이하고
선 만물 지 득 시

感吾生之行休/내 생은 곧 사라짐을 느끼네
감 오 생 지 행 휴

已矣乎/아 그저 그런 것인가
이 의 호

寓形宇內復幾時/육체가 이 세상에 깃드는 것이 얼마 동안인가
우 형 우내 복 기 시

曷不委心任去留/어찌 마음이 명하는 대로 생사를 운명에 맡겨
갈 불 위 심 임 거류
두지 않으며

胡爲乎遑遑欲何之/어찌 이제 와 덤벙거리며 어디로 가려
호위호 황황 욕 하 지
하는가

富貴非吾願/돈도 지위도 내 바라는 바 아니요.
부귀 비 오 원

帝鄕不可期/신선의 세계도 기약할 수 없네
제향 불가 기

懷良辰以孤往/따뜻한 봄볕을 그리워하여 홀로 산과 들 거닐고
회 양 진 이 고 왕

或植杖而耘耔/또한 지팡이 세워 두고 밭의 풀을 뽑는다
혹 식 장 이 운자

登東皐以舒嘯/아님 동편언덕 울라가 느긋이 시를 읊고
등 동 고 이 서 소

臨淸流以賦詩/맑은 강물 흐르는 곳에서 시를 짓는다.
임 청 유 이 부 시

聊乘化以歸盡/하늘에 맡겨 죽으면 죽으려니
료 승 화 이 귀 진

樂夫天命復奚疑/천명을 즐기며 살면 그뿐, 근심할 일 아무
악 부 천명 부 해 의
것도 없지 않은가.

奚/어찌 해 惆/실심할 추 悵/슬퍼할 창 悟/깨달을 오 塗/진흙 도

搖/흔들일 요 颺/날릴 양 征/칠 정 憙/기뻐할 희 僮/아이 동 徑/지름길 경

猶/오히려 유 携/끌 휴 觴/잔 상 怡/기쁠 이 牕/창 창 傲/거만할 오

涉/건널 섭 雖/비록 수 憩/쉴 게 岫/산굴 수 翳/일산 예

桓/푯말 환 疇/밭두둑 주 窈/그윽할 요 窕/정숙할 조 崎/험할 기

嶇/험할 구 涓/시내 연 寓/머무를 우 委/맡길 위 遑/허둥거릴 황 耘/김맬 운

耔/북돋을 皐/부르는 소리 舒/펼 聊/기울 奚/어찌
자 고 서 료

No.414

※雪霽窓明書鐵虯扇/눈이 개어 창이 밝아 鐵虯의 부채에 글을 쓰다
설 제 창 명 서 철 규 선 철 규

-金正喜-
김정희

雪後烘晴暖似還 霽/갤 虯/규룡/뿔이 있는 용
설후 홍 청 난 사 환 제 규

夕陽漫漫小窓間 烘/횃불 漫/질펀한
석양 만만 소창 간 홍 만

稻堆庭畔高於塔 稻/벼 畔/두둑
도 퇴 정 반 고 어 탑 도

直對西南佛鬘山 鬘/머리장식
직 대 서 남 불 만 산 만

눈 갠 뒤 하늘은 밝고 맑아 따스한 기운 돌고
일천리 기나 긴 길에 수만 마리 매미소리 가득 하다
뜨락의 벼가래는 탑보다 더 높아 보이고
바로 저 서남쪽으로 불만 산을 마주 보는 구나.

kangbch

No.415

※遷居八趣/귀양지의 여덟 위안 바람 -丁若鏞-
천 거 팔 취 정약용

西風過家來/서풍은 고향 집 지나서 오고
서풍 과 가 래

東風過我去/동풍은 나에게 들러서 간다.
동풍 과 아 거

只聞風來聲/바람 오는 소리를 듣기만 할 뿐
지 문 풍 래 성

不見風起處/바람 이는 곳 어딘지 볼 수가 없네.
부 견 풍 기 처

遷/옮길 趣/달릴 鏞/종/큰종
천 취 용

No.416

※狄城嶺 -金時習-
적 성 령 김시습

嵯峨山路險/높고 높은 산길은 험하고
차 아 산로 험

格磔有鳴禽/찍찍 우는 새들 이곳에 있다
격 책 유 명 금

殘照千峯外/일천 산봉우리 밖에 지는 해 비치고
잔조 천 봉 외

孤鴻一片心/외기러기 같은 한 조각 마음이로다
고홍 일편 심

行行溪水近/걷고 또 걸으니 개울물 가깝고
행 행 계수 근

去去嶺雲深/가도 또 가지 고개 위 구름은 깊어진다
거 거 령 운 심

林壑吾生願/숲 속 계곡이 내 삶의 소원이라
림 학 오 생 원

塵緣不可侵/세상살이 인연이야 침범하지 못하리라
진연 부 가 침

狄/오랑케 嵯/우뚝솟을 峨/높을 磔/책형/
적 차 아 책

No.417

※對菊有感 -金 富 軾-
유감 김 부 식

季秋之月百草死/늦 가을 철에 온갖 풀 다 말라졌는데
계추 지 월 백초 사

庭前甘菊凌霜開/뜰 앞 국화만이 서리를 능멸하고 피었구나
정 전 감 국 능 상 개

無奈風霜漸飄薄/풍상에 하는 수 없이 점점 시들어가도
무 내 풍 상 점 표 박

多情蜂蝶猶徘徊/벌과 나비는 다정하여 아직 빙빙 감도네
다정 봉접 유 배 회

杜牧登臨翠微上/두목은 취미에 올랐고
두목 등림 취미 상

陶潛悵望白衣來/도잠은 흰 옷 입은 사람을 바랐네
도잠 창망 백의 래

我思古人空三嘆/옛 사람들 생각하며 세 번 탄식하노라니
아 사 고인 공 삼 탄

明月忽照黃金罍/명월이 문득 황금 술병에 비춰 오누나.
명월 홀 조 황 금 뢰

軾/수레 앞턱 가로나 奈/어찌 翠/물총새 悵/슬퍼할 罍/술독
식 내 창 뢰

☞杜牧은 翠微에 올랐고:당 나라 시인 杜牧之 가 9월9일에
두목 취미 두목 지

적은 시에“손과 더불어 술병을 들고 翠微에 올랐다
취미

與客携壺上翠微“는 구절이 있다
여 객 휴 호 상 취미

陶潛은 흰 옷 입은 사람:도잠이 9월9일에 술이 없어 울타리
도잠

가에 나가 바라보니 국화를 손에 따들고 흰 옷 입은 사람이

오는데, 江州 刺史 王弘이 술을 보내온 것이다
강 주 자사 왕 홍

No.418

蘭 -姜希顏-
란 강희안

紫葩抽出産淸芬 瘦葉淩霜不受塵
자 파 추출 산 청 분 수 엽 능 상 부 수 진

高潔終爲世所惡 獨紉幽佩憶靈均
고결 종 위 세 소 악 독 인 유 패 억 영 균

葩/꽃 芬/향기로울 瘦/파리할 紉/새 佩/찰
파 분 수 인 패

☞자색 꽃봉우리 솟아 오르매 가는 잎이 서리를 이겨내며

티끌을 멀리 한다 高潔하였기 때문에 마침내 세상의 미움이
고결

받았으므로 조용히 엮어 차고 靈均을 생각하네.
영 균

⦿姜希顏(1419~1465)
강희안

朝鮮 世宗 때의 名臣 世宗 23년(1441)文科에 及第하여
조선 세종 명신 세종 문과 급제

集賢殿 直提學, 仁壽府尹을 지냈으며 六臣被禍의 변에
집현전 직제학 인수 부윤 육신 피화

연좌되었으나 成三問의 辯護로 慘禍를 면했다
성 삼 문 변호 참화

世宗이"體天牧民永昌後嗣"라는 여덟 자를 주고는 玉璽로서
세종 체 천 목민 영 창 후사 옥 새

篆書로 쓰도록 했다, 만년에는 詩書畵로 소일 했으나 천한
전 서 시서 화

기술이라 하여 남의 부탁에 응하지 않았다

鄭麟趾,朴彭年,申叔舟,成三問科 함께 "訓民正音解例'를
정인지 박팽년 신숙주 성삼문 과 훈민정음해례

修撰했고 저서에 "養花小錄"이 있다.
수찬 양 화 소록

No.419

※哀切陽 -茶山 丁若鏞-
애절 양 다산 정약용

朝鮮後期 三政의 紊亂을 말 할 때 白骨徵布니 黃口簽丁을
조선 후기 삼정 문란 백골 징 포 황구 첨 정
말한다, 이러한 弊端이 낳은 悲劇을 노래하고 있는 茶山
폐단 비극 다산
丁若鏞의 시를 感想한다
정약용 감상

蘆田少婦哭聲長/갈밭 마을 젊은 아낙 곡소리가 구슬프다
노 전 소 부 곡 성 장
哭向懸門號穹蒼/관아 현문을 향해 울부짖다 하늘에
곡 향 현문 호 궁 창
호소함이여
夫征不復尙可有/부역면제 안해 줌은 있을 수 있다고 하지마는
부 정 부 복 상 가 유
自古未聞男切陽/자고로 남근을 잘랐다는 말은 듣도 보도 못
자고 미문 남 절 양
하였소
舅喪已縞兒未爛/시부모는 세상을 뜨고 등에 엎은 것은 갓난
구 상 이 호 아 미 란
아이뿐 인데 삼대의 명단이 군적에 실려 있구나
薄言往愬虎守閽/이 억울함 하소하니 포졸은 호랑이 같이
박 언 왕 혜 호 수 차
버티어 서있고
里正咆哮牛去欄/동네 이장 고래고래 소리치며 소마저 끌고
이 정 포효 우 거 란
가네
磨刀入房血滿席/칼 갈아 뛰어들자 핏물이 온통 낭자하니
마 도 입 방 혈 만 석
自恨生兒遭窘厄/아들낳아 곤경당함 제 혼자 한탄하누나
자 한 생 아 조 군 액

蠶室淫刑豈有辜/잠실의 궁형이 무슨 잘못이 있었겠나
잠실 음형 개 유 고

德怫去勢良亦慽/이땅의 자식 거세 참으로 불쌍하도다
덕 불 거 세 양 역 척

生生之理天所予/자식낳고 사는 이치는 하늘이 준 바이니
생 생 지 리 천 소 여

乾道成男坤道女/하늘의 도는 아들 되고 땅의 도는 딸이되거늘
건도성남 곤도 여

冬馬惚豕猶云悲/말 돼지 거세함도 가엽다 말하는데
동 마 홀 시 유 운 비

況乃生民思繼序/하물며 어린백성이 뒤 이을 일 생각함이라
황 내 생 민 사 계서

豪家終歲奏管弦/권세가는 일년 내내 풍악을 울리며
호가 종세 진 관 현

粒米寸帛無所損/쌀 한톨 배 한치도 바치지 않았구나
입미 촌 백 무 소 손

均吾赤子何厚薄/다 같은 백성인데 어찌 그리 불공평한가
균 오 적 자 하 후박

客窓重誦餌鳩篇/객창에서는 자꾸만 이구편을 읽는다네
객창 중 송 이 구 편

(백성들이 굶어서 뱃속에서 꼬르르 하는 소리)

穹/궁하다/하늘/막다르다 (궁)　舅/시아비/외삼촌 (구)　縞/명주/비단 (호)

爛/문드러질 (난)　嘒/별반짝일 (혜)　箚/차자/간단한서식의상소문 (차)

遭/만날 (조)　窘/막힐 (군)　厄/액/재앙 (액)　淫/음란할 (음)　辜/허물 (고)

怫/어길 (불)　慽/근심할 (척)　予/나 (여)　豕/돼지 (시)　況/하물며 (황)

秦/벼이름 (진)　弦/시위 (현)　帛/비단 (백)　損/덜 (손)　餌/먹이 (이)

徵/부를 (징)　簽/竹/쪽지 (첨 죽)　鏞/큰종 (용)

※茶山(다산)이 江津(강진) 流配地(유배지)에서 直接(직접)見聞(견문)한 사실을 시로 쓴 것이다 노전사는 百姓(백성)이 아들을 낳은 지 사흘만에 軍籍(군적)에

올라 里正(이정)이 소를 빼앗아 가자 방에 뛰어 들어가 “내가 이것 때문에 困厄(곤액)을 당했다”며 칼을 뽑아 자기의 男根(남근)을 스스로 잘라 버렸다,

그 아내가 男根(남근)을 가지고 官街(관가)에 가니 피가 아직 뚝뚝 떨어지는데 아무리 하소연 하려 해도 문지기가 들어가지 못하게 막아버렸다

그나마 이미 세상을 떠난 시아버 軍布(군포)도 꼬박꼬박 내고 있던 터였다. 白骨徵布(백골징포)란 사람이 죽었다고 신고를 하여도 계속 죽은 사람- 앞으로 세금 고지서를 날려 보낸다.

黃口簽丁(황구첨정)이란?

갓 태어난 어린아이의 出生申告(출생신고)를 하고 나면 그 다음날로 徵集通知書(징집통지서)를 보낸다 눈도 뜨지 못한 핏덩어리더러 빨리 입대 한든지 軍布(군포)를 내라고 야단을 친다

※夜思何(야사하) -明月(명월) 黃眞伊(황진이)-

蕭寥月夜思何事(소요월야사하사)/밤에 그대는 누굴 생각 하세요?

寢宵轉輾夢似樣(침소전전몽사양)/잠이 들면 그대는 무슨 꿈 꾸시나요?

問君有時錄忘言(문군유시녹망언)/붓을 들면 때로는 내 얘기도 쓰시나요?

此世緣分果信良(차세연분과신량)/나를 만나 행복 했나요? 나의 사랑을 믿나요?

悠悠憶君疑未盡(유유억군의미진)/그대 생각 하다보면 모든 것이 궁금해요

日日念我幾許量(일일 염 아 기 허 량)/하루 중에서 내 생각 얼마큼 많이 하나요?

忙中要顧煩或喜(망중 요 고 번 혹 희)/바쁠 때 나를 돌아보라 하면 괴롭나요?
반갑나요?

喧喧如雀情如常(훤 훤 여 작 정 여상)/참새처럼 떠들어도 여전히 정겨운 가요?

寥(요)/쓸쓸할 輾(전)/구를 忙(망)/바쁠 煩(번)/괴로워할 喧(훤)/의젓할

☞蘇世讓(소세양)과 한달간 同宿(동숙)(同居(동거))하고 헤어진 뒤 黃眞伊(황진이)가 유일하게 사랑했던 男子(남자) 蘇世讓(소세양)을 그리는 애타는 마음을 글로 적어서 동선이를 시켜 한양에 있는 蘇世讓(소세양)에게 보냈던 黃眞伊(황진이)의 漢詩(한시) 夜思何(야사 하)이다.

Alex Shuper

No.420

※又次李亶佃韻/또 이단전의 시에 차운하여 -尹 愭-
우 차 이 단 전 운 윤 기

固是常情侮賤貧/빈천하면 깔보는 게 보통사람 마음인데
고 시 상정 모 천 빈

超然獨野爾何人/홀로 거기에 초연한 그대는 누구인가
초연 독 야 이 하 인

靈心炯似照犀水/물속을 환히 보듯 신령스런 마음 지녀
영 심 형 사 조 서 수

外物輕如棲草塵/풀에 붙은 티끌처럼 외물을 경시하네
외물 경 여 서 초 진

磈磊謾成詩酒傑/응어리 씻어 내려고 시인 술꾼 되어선
외 뢰 만 성 시주 걸

嬉遊時夢葛羲民/흥겹게 즐기면서 태평 세상 꿈도 꾸지
희유 시 몽 갈 희 민

不須後世子雲識/후세에도 알아줄 이 없다한들 어떠하리
불 수 후 세자 운 식

席上分明自有珍/그대에겐 분명히 고귀한 것이 있나니
석 상 분 명 자 유 진

亶/믿음 佃/밭갈 愭/공손할 侮/업신여길 炯/빛날
단 전 기 모 형

犀/무소 棲/살 磈/높고험한모양 磊/돌무더기 謾/속일
서 서 외 뢰 만

傑/뛰어날 嬉/즐길 羲/숨
걸 희 희

☞尹愭/1741~1826
윤 기

1576年 式年文科에 壯元으로 及第, 工曹佐郞,司憲府監察을
년 식년 문과 장원 급제 공조 좌랑 사헌부 감찰

거쳐 여러 군현을 다스려 부임하는 곳마다 선정을 베풀었다,
1592년 壬辰倭亂이 일어나자 水原府使로서 武官을 대신하여
임진왜란 수원 부사 무관

성천에 가서 세자를 시종하였다,

No.421

※菊花詩 -圃隱 鄭夢周-
국화 시 포은 정몽주

菊花我所愛/**내가 국화를 사랑하는 까닭은**
국화 아 소 애

我愛其心芳/**그 아름다운 마음 때문이야**
아애 기 심 방

平生不飮酒/**평생 술을 마시지 않건만**
평생 불음 주

爲汝擧一觴/**너로 인해 한 잔 하노라**
위 여 거 일 상

平生不啓齒/**평생 웃을 줄 모르지만**
평생 불 계 치

爲汝笑一場/**너 때문에 한바탕 웃노라**
위 여 소 일 장

※天生**대로** 淡白**하게 살아야 한다** -冥想名言-
천생 담백 명상 명언

田夫野叟**는** 語以黃鷄白酒**하면** 則欣然喜**하나** 問以鼎食
전부 야수 어 이 황 계 백 주 즉 흔연 희 문 이 정 식

하면 則不知**하며,** 語以縕袍短褐**하면** 則油然樂**하나**
즉 부지 어 이 온포 단갈 즉 유연 락

問吏袞服**하면** 則不識**하나니** 其天**이** 全故**로** 其欲**이** 淡
문 이 곤 복 즉 불 식 기 천 전 고 기 욕 담

이라 此是人生第一個境界**니라.**
차 시 인생 제일 개 경 계

시골노인들은 닭고기 안주에 막걸리를 이야기 하면 곧 흔연히
기뻐하지만 고급요리를 물으면 알지 못하고
무명 두루마기와 베잠방이를 이야기하면 곧 유연히
즐거워하지만 비단옷을 물으면 이를 모른다
그 천성이 온전하기 때문에 그 욕심이 담백한 것이니
이야말로 인생의 첫째가는 경계니라

☞순박한 사람들은 자신에게 주어진 소박한 삶에 만족하며 기뻐한다 그들은 고관대작의 삶에 대해 관심조차 없으며 부질없는 욕심을 부리지 않는다.
순수한 본성을 고스란히 지니고 있기 때문에 소박한 삶에 만족하는 것인데 이것이 바로 인생의 이상적이 경지인 것이다, 비단옷에 욕심이 생겨지면 이 경계는 무너지며 재난과 화의 원인을 만들 게 될 것이다.

No.422

※狄城嶺 /적설령 -金 時 習-

嵯峨山路險/높고 높은 산길은 험하고
아 산로 험

格磔有鳴禽/짹짹 우는 새들 이곳에 있다
격 책 유 명 금

殘照千峰外/일천 산봉우리 밖에 지는 해 비치고
잔조 천봉 외

孤鴻一片心/외기러기 같은 한 조각 마음이로다
고홍 일편 심

行行溪水近/걷고 또 걸으니 개울물 가깝고
행 행 계수 근

去去嶺雲深/가도 또 가치 고개 위 구름은 깊어진다
거 거 령 운 심

林壑吾生願/숲 속 계곡이 내 삶의 소원이라
림 학 오 생 원

塵緣不可侵/세상살이 인연이야 침범하지 못하리라.
진 연 부 가 침

狄/오랑케 嵯/우뚝솟을 峨/높을 磔/책형
적 차 아 책

No.423

※炤井戱作/밝은 우물에서 장난삼아 -李 奎 報-
소 정 희작 이 규 보

不對靑銅久/거울 보지 않은지 오래되어
부 대 청동 구

吾顏莫記誰/내 얼굴도 누구인지 수 없다
오 안 막 기 수

偶來方炤井/우연히 우물에 비친 모습
우 래 방 소 정

似昔稍相知/전에 어디서 본 듯한 녀석이로다
사 석 초 상 지

炤/밝을 梢/나무끝
소 초

Surprising_SnapShots

No.424

※花園帶鋤/꽃 밭에 호미들고 -姜 希 孟-
화원 대 서 강 희 맹

荷鋤入花底/호미 들고 꽃 속에 들어가
하 서 입 화 저

理荒乘暮回/김을 매고 주물녘에 돌아오네
이 황 승 모 회

淸泉可濯足/맑은 물이 발 씻기에 참 좋으니
청천 가 탁 족

石眼林中開/샘이 숲속 돌 틈에서 솟아 나오네
석 안 임 중 개

鋤/호미 濯/씻을
서 탁

姜希孟/1424(세종8)~1483(성종14) 뛰어난 文章家이며
강희맹 문장가

공정한 정치를 하여 세종과 성종 때 모두 寵愛를 받았다,
총애

호는 私淑齋.
사숙 재

No.425

※花徑 -李 荇-
화 경 이 행

無數幽花 隨分開 徑/지름길 幽/그윽할
무수 유 화 수 분 개 경 유

登山小逕 故盤廻 逕/소로 盤/쟁반
등산 소 경 고 반 회 경 반

殘香莫向 東風掃
잔향 막 향 동풍 소

倘有閑人 載酒來 倘/혹시 載/실은
당 유 한인 재 주 래 당

한없이 많은 그윽한 초목의 꽃은 분수를 따르며 사라졌고

산에 올라 좁은 길을 일부러 빙빙 돌며 즐기네
남아 있는 향기에 마음 기울이지 못하게 봄바람이 제거하니
어정거리다 안 한가하고 일 없는 사람이 술을 가지고 가
위로하네.

☞李荇/1478~1534 號는 容齋 1524년 이조판서가 됨
이행 호 용재

1527년右議政 弘文館 大提學이됨.
우의정 홍문관 대제학

No.426

※浮壁樓 -李 穡/1328~1396)
부 벽 루 이 색

昨過永明寺/어제 영명사를 지나다가
작 과 영 명 사

暫登浮碧樓/잠간 부벽루에 올랐네
잠 등 부 벽 루

城空月一片/텅 비어있는 옛 성에 한 조각 달은 떠 있고
성 공 월 일편

石老雲千秋/돌은 오래되고 구름은 천 년을 흐르네.
석 노 운 천추

麟馬去不返/인마는 가고 돌아오지 않는데
인 마 거 불 반

天孫何處遊/손은 지금 어느 곳에 놀고 있는가
천손 하처 유

長嘯倚風磴/휘파람 길게 불며 바람 부는 비탈에 서니
장소 의 풍 등

山靑江自流/산은 푸르고 강물 절로 흐르네
산 청 강 자 유

No.427

※書懷
회

-金宏弼-
김 굉 필

處獨居閑絶往還
처 독거 한 절 왕환

只呼明月照孤寒
지 호 명월 조 고 한

憑君莫問生涯事
빙 군 막 문 생 애 사

萬頃烟波數疊山
만 경 연 파 수 첩 산

憑/기댈
빙

頃/밭넓이단위 疊/겹쳐질
경 첩

향기롭게 홀로 살아 오고감이 끊겼는데
밝은 달을 부르니 쓸쓸한 나를 비추네
그대여 이 생애 어떠한고 묻지 마오
만경 파도와 첩천 청산뿐이라네

☞金宏弼(1454년 端宗2년~1504년 燕山君10년) 朝鮮의 學者,政治家, 號는 寒暄堂. 일찍이 金宗直에게 배웠다. 平生 言行을 소학에 따르고 합천 야로현에서 제자를 교도 하였다. 戊午士禍(1498) 때 金宗直의 文人이라 하여 熙川으로 유배되었고, 다시 順天으로 이배되었다가 1504년 甲子士禍 때(1504,燕山君10)처형 당했다. 中宗 때에 都承旨,左議政,宣祖때에 領議政으로 追增되고 文廟에 從祀되었다.

(김굉필, 단종, 연산군, 조선, 학자, 정치가, 호, 한훤당, 김종직, 평생, 언행, 무오사화, 김종직, 문인, 희천, 순천, 갑자사화, 연산군, 중종, 도승지, 좌의정, 선조, 영의정, 추증, 문묘, 종사)

※大雪
대설

-象村 申欽-
상촌 신흠

塡壑埋山極目同
전 학 매 산 극목 동

瓊瑤世界水晶宮
경 요 세계 수정 궁

人間畵史知無數
인 간 화 사 지 무수

難寫陰陽變化功
난 사 음양 변화 공

塡/메울
전

瓊/옥　瑤/아름다운옥
경　요

史/역사　欽/공경할
사　흠

골 메우고 산 덮어 눈길 닿는 곳 같으니

온 세계는 구슬이요 수정궁이 되었네

인간세상 화가는 셀 수 없이 많지만

陰陽**의** 變化功德**은 그려내기 어렵네.**
음양　변화 공덕

☞象村 申 欽**(1566(명종21)~1628(인조 6년)**
상촌 신 흠

朝鮮 中期**의** 文臣**,**松江 鄭澈**,** 蘆溪 朴仁老**,**孤山 尹善道**와**
조선 중기 문신 송강 정철 노계 박인로 고산 윤선도

더불어 조선4대 文章家**로 꼽힌다.**
문장가

號**는** 玄軒**,** 象村**.** 開城道使 承緖**의 아들로 태어나**
호 현 헌 상촌 개성 도사 승 서

1586년(선조19)文科**에** 及第**하여,** 禮曹判書**,**左**,**右議政**을**
문과 급제 예조판서 좌 우의정

거쳐1627년(인조5년)領議政**에 이르렀다.**
영의정

아들 翊聖**이** 宣祖**의 딸** 貞淑翁主**에게 장가들어** 東陽尉**가**
익 성 선조 정숙 옹주 동 양 위

되었으며 1613년(光海君 **5년)**永昌大君**의** 獄死**가 일어났을 때**
광해군 영창대군 옥사

宣祖(선조)의 儒敎(유교)七(칠)신중의 한 사람으로 관직에서 쫓겨나고 뒤에 춘천으로 귀양갔다. 仁祖反正(인조반정)이 일어나자 右議政(우의정)에 오르고 大提學(대제학)을 겸하였다, 문장에 뛰어났고, 글씨도 잘 썻으며 李恒福(이항복)등과 함께 宣祖(선조)實錄(실록)의 編纂(편찬)事業(사업)에도 참가했다. 著書(저서)로는 象村集(상촌집)이 있다.

No.429

※雪(설)覆(복)蘆花(노화)/ 蘆花(노화)에 눈이 덮어 있으니 -金(김) 時(시) 習(습)-

滿(만)江(강)明月(명월)照(조)平沙(평사)
裝(장)點(점)漁村(어촌)八九(팔구)家(가)
更(갱)有(유)一般(일반)淸絶(청절)態(태)
皚(개)皚(개)白雪(백설)覆(복)蘆(노)花(화)

皚(개)/비출 覆(복)/뒤집힐

강에 가득한 밝은 달빛 모래벌에 비추어
어촌의 여덟아홉 가구 환하게 장식하네
다시 하나의 맑고도 뛰어난 자태 있으니
아름다운 흰 눈이 갈대꽃을 덮었구나.

☞梅月堂(매월당) 金時習(김시습)/1435(世宗(세종)17)~1493(成宗(성종)24) 朝鮮(조선) 初期(초기)의 學者(학자) 文人(문인).

兩人對酌山花開
양인 대작 산화 개

一杯一杯複一盃
일배 일배 복 일 배

我醉慾眠君且去
아 취 욕 면 군 차 거

明朝有意抱琴來 抱/안을
명조 유의 포 금 래 포

친구와 술을 마시는데 산에는 꽃이피네
한잔 한잔 또 한잔에
어느덧 술은 취하고 잠이 오는구나 친구야 돌아 가거든
내일 아침엔 거문고 안고 오게나

☞李白(701~762)
이백

中國 唐**나라** 詩人 **자는** 太白,**호는** 靑蓮居士, **농서군**
중국 당 시인 태백 청 련 거사

成紀縣(**지금의** 甘肅省 秦安縣 附近) 出身 杜甫**와 함께**(李
성 기 현 감 숙 성 진 안 현 부근 출신 두보 이

杜**라고 일컬어진다.** 杜甫**를** 詩聖, 王維**를** 詩佛,李白**은**
두 두보 시성 왕유 시 불 이백

詩仙**이라고 한다.** 盛唐**을 대표하는 시인으로서의** 李白**은**
시선 성당 이백

人間,時代 自己**에 대한 큰** 氣槪, 自負心**을** 詩**로 노래했다.**
인간 시대 자기 기개 자부심 시

No.430

※天性**대로** 淡白**하게 살아야 한다.**
천성 담백

田夫野叟**는** 語以黃鷄白酒 **하면** 叟/**늙은이**
전부 야수 어 이 황 계 백 주 수

則欣然喜 **하나** 問以鼎食**하면** 則不知**하며,**
즉 흔연 희 문 이 정 식 즉 부지

語以縕袍短褐**하면** 則油然樂**하나**
어 이 온포 단갈 즉 유 연 락

問以衮服**하면** 則不食**하나니**
문 이 곤 복 즉 불식

其天**이** 全故**로** 其欲**이** 淡**이라**
기 천 전 고 기 욕 담

此是人生第一個境界 **니라**
차 시 인생 제일 개 경 계

鼎(정)**/솥**
縕(온)**/헌솜**
袍(포)**/핫옷** 褐(갈)**/털옷**
衮(곤)**/곤룡포** 淡(담)**/묽을**

시골 노인들은 닭고기 안주에 막걸리를 이야기 하면
곧 흔연히 기뻐하지만 고급요리를 물으면 알지 못하고,
무명 두루마기와 베잠방이를 이야기 하면 곧 유연히
즐거워하지만 비단옷을 물으면 이를 모른다
그 천성이 온전하기 때문에 그 욕심이 담백한 것이니
이야말로 인생의 첫째가는 경계니라.

淳朴(순박)**한 사람들은 자신에게 주어진** 素朴(소박)**한 삶에** 滿足(만족)**하며**
기뻐한다 그들은 高官大爵(고관대작)**의 삶에 대해** 觀心(관심)**조차 없으며**
부질없는 욕심을 부리지 않는다 純粹(순수)**한 본성을 고스란히**
지니고 있기 때문에 素朴(소박)**한 삶에** 滿足(만족)**하는 것인데 이것이**
바로 人生(인생)**의** 理想的(이상적)**인** 境地(경지)**인 것이다**
비단옷에 욕심이 생겨지면 이境界(경계)**는 무너지며** 災難(재난)**과** 禍(화)**의**
원인을 만들게 될 것이다.

No.433

※送人 -양양 기생-
송인

弄珠灘上魂欲消/사랑을 나눈 시냇가에서 임을 보내고
농주 탄 상 혼 욕 소

獨把離懷寄酒樽/외로이 잔을 들어 하소연할 때
독 파 이회 기 주 준

無限烟花不留意/피고지는 저 꽃 내 뜻 모르니
무한 연 화 불 류 의

忍敎芳草怨王孫/오지 않는 임을 원망하게 하리
인 교 방초 원 왕 손

☞弄珠/戀人과 함께 사랑을 속삭임.
농주 연인

No.431

※人生三樂 -象村 申 欽-
인생 삼락 상촌 신 흠

閉門閱會心書/문을 닫으면 마음에 드는 책을 읽고
폐문 열 회심 서

開門迎會心客/문을 열면 마음에 맞는 손님을 맞이하고
개문 영 회 심 객

出門心會心境/문을 나서면 마음에 끌리는 경치를 찾아가는
출문 심 회 심경

것이 此乃人間三樂/이것이 바로 인생의 세 가지 즐거움이다.
차 내 인간 삼락

☞이 글은 朝鮮中期 文臣 象村 申欽(1566~1628)先生의
조선중기 문신 상촌 신흠 선생

文集 象村集에서 나오는 人生三樂 이다 선생은 삶의 幸福은
문집 상촌집 인생 삼락 행복

마음이 즐거운데서 비롯되고 즐거운 마음은 자신이 하고 싶은
것을 할 때 찾아온다고 보았다.
이 세상 사람이 하고 싶은 것을 다하고 사는 사람이 과연
얼마나 될까? 사람마다 처한 狀況에 따라 생각이 달라지고
상황

性向(성향)에 따라 세상을 바라보는 觀點(관점)도 달라지지만 幸福(행복)하고
싶은 마음만은 다르지 않으리라 생각된다.
象村(상촌) 先生(선생)이 말한 인생의 세 가지 즐거움은 우리에게 眞正(진정)한
幸福(행복)이 마음먹기에 달려 있음을 일깨워준다.
홀로 있을 때 마음에 드는 책을 읽고 마음이 통하는 親舊(친구)를
만나 함께 어울리고 좋은 景致(경치)를 찾아 旅行(여행)을 하는데
즐겁지 않다면 오히려 이상한 일이겠지요 중요한 것은 자신의
마음에 드는 일을 하되 다른 사람에게 被害(피해)를 주지 않아야
한다는 것이다 자신이 좋아하는 일이 다른 사람에게도 기쁜
일이면 더 이상 바랄 게 없겠지요
오늘도 나는 眞情(진정) 내가 하고 싶은 것을 하고 있으니 幸福(행복)한
사람인 것은 틀림이 없는 것 같다

Francesco Ungaro

No.432

※逢 秋/가을을 맞아 -象村 申欽-
봉 추 상촌 신흠

百年今過半/인생 백년 이제 반을 넘겨
백년 금 과 반

雙鬢久成翁/양 귀밑머리 늙은이 된지 오래구나
쌍빈 구성 옹

閉門秋色裏/가을 경색 속에 문 닫아 걸고
폐문 추색 리

欹枕雨聲中/빗소리 들으며 베게에 기대어 본다
의 침 우성 중

漂梗生涯薄/표류하는 나뭇가지처럼 기구한 인생
표 경 생애 박

浮雲世事空/뜬 구름처럼 세상일은 허망하구나
부운 세사 공

鄕園長入望/저 멀리 고향 동산 바라보며
향원 장 입 망

天外送飛鴻/하늘 가 나는 기러기를 전송 한다네.
천외 송 비 홍

※象村 申欽
상촌 신흠

1566(明宗21)~1628(仁祖6)
명종 인조

1589년 春秋館 官員에 뽑히면서 藝文館奉敎,司憲府監察,
춘추관 관원 예문 관 봉 교 사헌부 감찰

兵曹佐郞등을 歷任하였다
병조 좌랑 역임

1592년 壬辰倭亂의 勃發과 함께 東人의 排斥으로
임진왜란 발발 동인 배척

양재都察訪에 左遷되었으나 戰亂으로 赴任하지 못하고 三道
도찰 방 좌천 전란 부임 삼도

巡邊使 申立을 따라 鳥嶺戰鬪에 參加, 이어 都體察使
순변사 신립 조 령 전투 참가 도체찰사

鄭澈의從事官으로 活躍하였으며,그 功勞로 持平에 昇進
정철 종사 관 활약 공로 지평 승진

되었다. 1599년 宣祖의 寵愛를 받아 장남 申翼聖이 宣祖의
선조 총애 신 익 성 선조

딸인 貞淑翁主의 駙馬로 揀擇되어 同副承旨에 拔擢되었다.
정숙 옹주 부마 간택 동부승지 발탁

일찍이 부모를 여의었으나 學文에 專念하여,벼슬 하기전부터
학문 전념

이미 文名을떨쳤다.
문명

벼슬에 나가서는 西人인 李珥와 鄭澈을 擁護하여 東人의
서인 이이 정철 옹호 동인

排斥을 받았으나, 莊重하고 簡潔한 性品과 뛰어난 文章으로
배척 장중 간결 성품 문장

宣祖의信望을 받으면서 恒常 文翰職을 兼帶하고
선조 신망 항상 문한 직 겸대

對明外交文書의 製作,詩文의整理,各種 儀禮文書의製作에
대 명 외교문서 제작 시문 정리 각종 의례 문 서 제작

참여하는 등 문운의 振興에 크게 寄與 하였다
진흥 기여

또한,詞林의 信望을 받음은 물론, 李廷龜,張維,李植과 함께
사림 신망 이정구 장유 이식

朝鮮中期 漢文學의 正宗(바른 종통)또는 月象谿澤(月沙
조선중기 한문 학 정종 월 상 계 택 월사

李廷龜,象村 申欽,谿谷 張維,澤堂 李植을 일컬음)으로 稱誦
이정구 상촌 신흠 계곡 장유 택 당 이식 칭송

되었다.墓는 京畿道 廣州市 退村面 嶺東里에 있다.
묘 경기도 광주 시 퇴촌 면 영동 리

No.433

※雪覆 蘆花
설 복 노화

-金 時 習-
김 시 습

滿江明月照平沙
만 강 명월 조 평사

裝點漁村八九家
장 점 어촌 팔구 가

更有一般淸絶態
갱 유 일반 청절 태

皚皚白雪覆蘆花 皚/비출 蘆/갈대
개 개 백설 복 노 화 개 노

강에 가득한 밝은 달빛 모래벌 비추어
漁村에 여덟아홉 家口 환하게 裝飾하네
어촌 가구 장식
다시 하나의 맑고도 뛰어난 姿態 있으니
자태
아름다운 흰 눈이 갈대꽃을 덮었구나.

※落葉 -金 時 習-
낙엽 김 시 습

落葉不可掃/떨어지는 잎이라고 쓸 것 아니라오
낙엽 불가 소
便宜淸夜聞/맑은 밤에 그 소리 더욱 듣기 좋다오
편의 청야 문
風來聲慽慽/바람이 오면 그 소리 우수수 하고
풍 래 성 척 척
慽/근심할月上影紛紛/달이 오르면 그림자 어지럽다오,
척 월 상 영 분 분
紛/어지러워질 鼓窓驚客夢/창을 두드려 나그네 꿈을 놀래키고
분 고 창 경 객몽
疊砌沒苔紋/섬돌에 쌓여 이끼 무늬 없애지요
첩 체 몰 태문
帶雨情無奈/비를 띠는 그 심정 할 수 없기에
대 우 정 무 내
空山瘦十分/빈산에 그 모습 한껏 여위었네요 瘦/파리할
공산 수 십 분 수

No.434

※題張氏隱居/숨어사는 장씨를 찾아 -杜 甫-
제 장 씨 은거 두 보

春山無伴獨相求/그대 사는 곳 찾아 봄 산골 혼자 가니
춘산 무 반 독상 구

伐木丁丁山更幽/나무 찍는 소리 쩡쩡 산 깊음에 더 하네
벌목 정 정 산 경 유

澗道餘寒歷氷雪/아직도 추운 계곡 빙판 길을 지나서
간 도 여 한 력 빙설

石門斜日到林丘/석양이 돌문 비출 즈음 언덕에 닿았네
석문 사일 도 림 구

不貪夜識金銀氣/탐내는 맘 없으니 금은 구분 못하고
부 탐 야 식 금은 기

遠害朝看麋鹿遊/해칠 마음 없으니 사슴들이 와서 노네
원 해 조 간 미 녹 유

乘興杳然迷出處/알 수 없는 그윽함이 어디선가 나오니
승 흥 묘연 미 출처

對君疑是泛虛舟/그대 바로 물에 뜬 장자의 빈 배. 泛/뜰
대 군 의 시 범 허주 범

No.435

※遊天磨山有作/천마산에 노닐며 짓다 -李 奎 報-
유 천 마 산 유작 이 규 보

風吹俗面似掃掠/바람은 속인의 얼굴 쓸어버리릴 듯 불어오고

谷答人聲如唯諾/골짜기는 사람 소리에 대답하듯 메아리 치네
곡답인성여유락

初從石經行犖确/처음엔 바위산의 오솔길 따라가다가
초종석경행락학 犖/얼룩소 确/자갈땅

旋向松扉鼓剝啄/되돌아서 소나무 사립 두들겼네,
선향송비고박탁 剝/벗길 啄/쫄

山僧出門笑迎客/산승이 문에 나와 웃으며 손을 맞으니
산승출문소영객

貌古松頭千歲鶴/고고한 그 모습은 늙은 소나무에 천 년학일세
모고송두천세학

困臥松軒山月白/곤하여 송헌에 누우니 산에 뜬 달은 훤하고

곤와송헌산월백

煎茶不問巖泉涸/차 달이니 바위 샘물 마르거나 말거나 물을 것 없네

전차불문엄천고 煎/달일

我樂忘憂師大噱/나는 즐거워 시름 잊는다 하니 스님은 껄껄 웃으며

아락망우사대갹 噱/크게 웃을

本自無憂誰是樂/본래 시름없거늘 무어 그리 즐거우랴 하네.

본자무우수시락 誰/누구

Pixabay

No.436

※江南柳/江南의 버들 -鄭 夢 周-

江南柳江南柳 /강남의 버들 강남의 버들
강남 류 강남 류

春風裊裊黃金絲/봄바람에 하늘하늘 황금실 늘였네
춘풍 뇨 뇨 황금 사

裊/하늘하늘
뇨

江南柳色年年好/강남의 버들 빛이야 매년 좋지만
강남 류 색 년 년 호

江南行客歸何時/강남의 나그네는 언제나 돌아가나
강남 행객 귀 하 시

蒼海茫茫萬丈波/아득한 푸른 바다 파도는 만길
창해 망망 만장 파

家山遠在天之涯/고향 땅은 아득히 하늘 닿는 끝
가산 원 재천 지 애

天涯之人日夜望歸舟/의지가지 없이 밤낮 배를 보며
천 애 지 인 일야 망 귀 주

坐對落花空長嘆/지는 꽃 보고 앉아 길게 탄식하네
좌 대 낙화 공 장 탄

空長嘆但識相思苦/장탄식에 그리워 괴로움을 알고
공 장 탄 단 식 상사 고

嘆/탄식할
탄

肯識此間行路難/그 간의 세상살이 어려웠음도 알겠네
긍 식 차간 행로 난

人生莫作遠游客/인생 살며 부디 먼 길 나그네 되지마오
인생 막 작 원 유 객

游/헤엄칠
유

少年兩鬢如雪白/소년의 양 귀밑머리 눈처럼 희여졌다네
소년 양빈 여 설 백

☞明나라 使臣으로 가서 지은 詩
명 사신 시

※溪居/산 골짜기에 살며 -柳宗元-
계 거 유종원

久爲簪組累/오랜 동안 벼슬살이에 매어 살다가
구 위 잠 조 루

簪/비녀/신속
잠

幸此南夷謫/다행인지 남녘 땅에 귀양을 왔다네
행 차 남이 적

閑依農圃隣/한가이 이웃 농가 거들며 살다보니 圃/밭
한 의 농포 린 포

偶似山林客/뜻하지 않게 산림의 처서가 되었네
우 사 산림 객

曉耕飜露草/새벽부터 이슬젖은 풀을 갈아엎고
효 경 번 로 초

夜榜響溪石/밤이면 배를 저어 조약돌을 울리네 榜/메/배
야 방 향 계 석 방

來往不逢人/오거나 가거나 맞추칠 사람 없으니
내왕 불 봉 인

長歌楚天碧/긴 노래에 초나라의 하늘만 푸르네.
장 가 초 천 벽

☞柳宗元
유종원

中國 唐나라(819) 일찍이 劉禹錫과 함께 왕숙문의 혁신단체에
중국 당 유우석

참가 했으나,실패하여 영주사마로 좌천되었다 후에유주지사로
지내 유유주 라고도 한다.

韓愈와 함께 고문운동을 제창하여 거의 1000년동안 귀족
한유

출신의문인들에게 애용된 변려문에서 작가들을 해방시키려
했다. 한유와 함께 당송 8대가에 속하여“韓 柳”라고 竝稱한다.
한 유 병칭

그러나 철학상으로는 韓愈와 큰 견해 차이를 보여,天의
한유 천

의지유무에 관해 논쟁을 별렸다.
유종원은 천지가 생기기 전에는 오직 원기만이
존재했으며,천지가 나누어진 뒤에도 원기는 천지중에 있다고
생각했다, 원기위에 천이라는 최상위 개념이 있는 것을
부정하여 天이 상과 벌을 내린다는 천명론에 반대 했다.
천

잡문에서 전형적인 사물을 예로 들어 심오한 철리를 제시
했다.

No.437

※驪江迷懷/驪江 -李 穡-
여 강 미 회 여 강 이 색

天地無涯生有涯/천지는 끝이 있고 인생은 끝이 있으니
천지 무 애 생유 애

浩然歸志欲何之/호연이 돌아갈 뜻 어디에 두어야 하나
호연 귀 지 욕 하 지

驪江一曲山如畫/여강 한 구비 돌아 산은 그림이어라
여 강 일 곡 산 여 화

半似丹青半似詩/반은 색칠을 한 듯 반은 시인 듯
반 사 단 청 반 사 시

※釣魚/낚시 -李 滉-
조어 이 황

淸時多病早投閑/태평 시절 병이 많아 일찍부터 한가하여
청 시 다병 조 투 한

萬事漁竿本不干/만사는 낚싯대에 맡기고 아무것도 관계 않네
만 사 어 간 본 불간

小艇弄殘宜月宿/작은 배를 젓다 말고 달빛 아래 잠 들고
소정 롱 잔 의 월 숙

寒絲收罷任風餐/찬 낚시줄 챙기고는 바람 맞으며 밥 먹으니/
한 사 수 파 임 풍 찬

餐/먹을
찬

荻花楓葉深秋岸/갈대꽃과 단풍잎은 깊은 가을 언덕이요/
적 화 풍엽 심추 안

荻/물억새
적

箬笠蓑衣細雨灘/대 삿갓에 도롱이 옷 실비 오는
약 립 사 의 세우 탄

여울이라/箬/대껍질
약

可笑從前閒失脚/우습구나 전날에는 이내 발을 잘못 디뎌
가 소 종전 한 실 각

軟紅塵土沒高冠/불그레한 먼지 흙에 높은 갓을 빠드렸네
연홍 진 토 몰 고 관

No.438

※魯山山行/魯山을 오르며 -梅 堯 臣-
산 산행 노 산 매 요 신

適與野情愜/오랜만에 즐기는 자연의 정취
적 여 야 정 협

愜/쾌하다
협

千山高複低/산들은 첩첩이 높으락 낮으락
천 산 고 복 저

好峰隨處改/눈길마다 다른 좋은 봉우리에
호 봉 수 처 개

幽徑獨行迷/깊은 산 길 홀로 헤매여 가내
유 경 독행 미

霜落熊升樹/서리 맞은 나물에 곰이 오르고
상 락 웅 승 수

林空麓飮溪/숲의 사슴은 시냇물을 마시네
림 공록 음 계

人家在何許/사람 사는 마을은 어디쯤인가
인 가 재 하 허

雲外一聲鷄/구름 밖 한 가닥 닭 울음소리
운 외 일성 계

※風荷/바람에 흔들리는 연꽃 -崔 瀣-
풍 하 최 해

淸晨纔罷浴 臨鏡力不持 纔/겨우 瀣/이슬기운
청신 재 파 욕 임 경 역 부 지 재 해

天然無限美 摠在未粧時 摠/모두/지배하다
천연 무한 미 총 재 미 장 시 총

맑은 새벽 목욕을 겨우 마치고 거울 앞 힘에 겨워 몸 못 가누네
천연스레 너무나 고운 그 모습 단장하지 않았을 제 더욱 어여뻐

☞맑은 새벽 함초롱 이슬 머금고 흰 연꽃이 봉긋이 수면 위로 솟았다. 연못 위로 바람이 지나가자 이슬이 놀라 수면 위로 떨어진다, 물기가 뚝뚝 돋는 하얀 살결, 어여쁜 아가씨가 이제 막 목욕을 끝내고 수면위로 올라 몸을 닦는 게라고 시인은 생각했다
이제 분단장을 해야지 그러나 막상 거울 앞에 앉은 그녀는 온몸이 나른하고 힘이 쪽 빠져서 화장할 생각도 못하고 거울 앞에 멍하니 앉아만 있다.
거울은 기실 맑은 수면이다. 시인은 그 천여스레 무한히 아름다운 그자태를 족하다고, 더 이상 바랄 것이 없다고 사래질을 한다. 화장을 하고나면 그 천진스런 아름다움이 오히려 지워질 것만 같다고 말한다.

No.439

※蘇東坡 漢詩
소동파 한시

1,再用前韻
재 용 전 운

羅浮山下梅花村, 玉雪爲骨冰爲魂.
라 부 산 하 매화 촌 옥설 위 골 빙 위 혼

紛紛初疑月桂樹, 耿耿獨與參橫昏. 紛/어지러워질
분분 초 의 월계수 경경 독 여 참 횡 혼 분

先生索居江海上, 悄如病鶴棲荒園. 悄/근심할 耿/빛날
선생 삭거 강해 상 초 여 병 학 서 황 원 초 경

天香國艶肯相顧 知我酒熟詩淸溫. 艶/고울
천향 국 염 긍 상고 지 아 주 숙 시 청 온 염

蓬萊宮中花鳥使, 綠衣倒挂扶桑暾 掛/걸 暾/아침해
봉래 궁중 화조사 록 의 도 괘 부상 돈 괘 돈

抱叢窺我方醉臥, 故遣啄木先敲門.
포 총 규 아방 취 와 고 견 탁목 선 고 문

麻姑過君急掃灑, 鳥能歌舞花能言. 姑/시어미
마고 과 군 급 소 쇄 조 능 가 무 화 능언 고

酒醒人散山寂寂, 惟有落蕊黏空尊. 惟/생각할 蕊/꽃술
주 성 인 산 산 적 적 유 유 낙 예 점 공 존 유 예

黏/찰질
점

나부산 아래 매화촌이 있어 옥설은 뼈가 되고 얼음은 혼히 되었구나,
분분히 흩날려 처음에는 달 속의 나무에 내걸린 양 기이하고
반짝반짝 빛날 때는 오직 황혼에 기우는 삼성과 함께
선생은 초라한 모습으로 상해 위에 홀로 거하니
처량함이 병든 학이 황량한 뜻에 거하는 듯하구려
하늘이 내려준 향기와 나라에 가장 아름다운 꽃이 나를 돌아보게 하네
내가 술을 약이면 시가 맑고 따사라워지는 것을 알리라

여기 봉래산 신성궁의 화조사라 칭하는
푸른 새가 부상의 햇살 속에 나무에 거꾸로 매달려 있네,
꽃 무더기 보듬고 바야흐로 술 취해 누운 내 모습을 엿보는
일부러 딱따구리를 보내어 먼저 두드리는 보다.
마고선녀가 지나는 기레 급히 청소하고 기다리라고 알려준다
새는 춤추면 노래하고 꽃도 즐거이 속살대는 구나.
이윽고 술에서 깨니 꿈결의 사람과 헤어지고 산은 적막하다
다만 떨어진 매화 꽃잎이 빈 술잔에 달라붙어 있을 뿐이라.

Jo Kassis

2,六月二十七日望湖樓醉書五絶
육 월 이 십 칠일 망 호 루 취 서 오절

黑雲翻墨未遮山, 白雨跳珠亂入船. 遮/막을 跳/뛸
흑운 번 묵 미 차 산 백우 도 주 난입 선 차 도

卷地風來忽吹散, 望湖樓下水如天.
권 지 풍 래 홀 취 산 망 호 루 하수 여 천

放生魚鱉逐人來, 無主荷花到處開. 鱉/자라 逐/쫓을
방생 어 오 축 인 래 무 주 하 화 도 처 개 오 축

水枕能令山俯仰, 風船解與月徘徊. 俯/구부릴
수침 능 령 산 부 앙 풍선 해 여 월 배회 부

먹물을 뒤엎은 듯한 검은 구름 미처 산을 가리기 전에
흰 빗줄기 구슬 튀듯 어지러이 배 안으로 들이친다
땅을 휘감는 바람이 문득 비구름을 불어 흩트리자
망호로 아래의 물이 금시 하늘빛처럼 푸르다
방생한 물고기와 자라가 사람을 쫓아오고
주인이 없는 연꽃은 도처에서 피어 있구나
물을 베고 누우니 산이 거꾸로 보이고
바람 따라 배는 달과 함께 배회하고 있다.

3,偶頌
우 송

聲無旣無滅/소리가 없다면 멸함도 없는 것이고
성 무 기 무 멸

聲有亦非聲/소리가 있어도 또한 소리가 아니다.
성 유 역 비 성

生滅二緣離/생성과 소멸의 두 인연을 영원다면
생 멸 이 연 리

是則常眞實/곧 항상 진실뿐이다.
시 즉 상 진 실

4,飮酒
음주

百年六十化, 念念竟非是. 竟/다할
백년 육십 화 염 염 경 비 시 경

是身如虛空, 誰受譽與毁 譽/기릴 毁/헐
시 신 여 허 공 수 수 예 여 훼 예 훼

得酒未擧杯, 喪我固忘爾
득 주 미거 배 상 아 고 망 이

倒床自甘寢, 不擇菅與綺 擇/가릴 菅/골풀/등골나무
도 상 자감 침 불 택 관 여 기 택 관

네 인생 백 년 중에 육십 년이 지났는데
생각하고 또 생각해봐도 결국 옳지 않았네.
이 몸은 허공과 같거늘
누가 칭찬을 받고 누가 비방을 받는가,
술을 얻으면 잔을 들기도 전에
나도 잃어버리고 너도 본디 잊었노라,
침상에 엎어져 저절로 달게 잠드니
거적이든 비단이든 가리지 않네.

5,惠山謁錢道人烹小龍團登絶頂望太湖
혜 산 알 전 도 인 팽 소 용 단 등 절 정 망 태 호

踏遍江南南岸山, 逢山未免更流連. 遍/두루
답 편 강 남 남 안 산 봉 산 미면 갱 류 연 편

獨携天上小團月, 來試人間第二泉 携/끌
독 휴 천상 소 단 월 래 시 인 간 제 이 천 휴

石路縈回九龍脊, 水光不動五湖天, 脊/등성마루/등뼈
석 로 영 회 구 용 척 수 광 부 동 오 호 천 척

孫登無語空歸去, 半嶺松聲萬壑傳.
손 등 무 어 공 귀 거 반령 송 성 만학 전

강남에 있는 남쪽 기슭의 산들을 두루 밟아 보았건만
산을 만나면 더욱 연연해 헤어나지 못하네.
홀로 하늘의 작은 보름달을 끌어다

인간 세상 제2泉(천)에 비추어 본다.

구룡산의 등성이를 돌길이 돌고
물빛은 흔들림 없이 五湖(오호)의하늘을 비춘다,

孫登(손등)은 말이 없이 그냥 돌아가는데

산허리의 소나무 소리 모든 골짜기에 울려 퍼지메.

an van der Wolf

No.440

※※梅花畵題 詩
매화 화제 시

尋春 -宋妮-
심춘 송 이

終日深春不見春/종일 봄을 찾았으나 봄은 보지 못했네
종일 심 춘 불 견 춘

芒鞋踏破嶺頭雲/짚신 신고 고개마루 구름가까이 다 헤메다가
망혜 답파 령 두 운

掃來偶把梅花臭/돌아올 때 우연히 향기를 맡으니
소 래 우 파 매화 취

把/잡을
파

春在枝上已十分/봄은 가지위에 벌써 와 있네.
춘 재 지 상 이 십 분

No.441

※梅花/새가 앉은 매화를 그렸을 때 화제 -王 維-
매화 왕 유

已見寒梅發/벌써 한매화가 피어나고
이 견 한매 발

復聞啼鳥聲/새 소리 들려오고
부 문 제 조 성

愁心視春草/우거진 봄풀 보며 시름겨워
수심 시 춘초

畏尙玉階生/층층 계단 덮으니 이렇게 경이로울 수가
외 상 옥계 생

畏/두려워할 尙/오히려
외 상

No.442

※探春 -戴盆
탐춘 대 분

盡日深春不見春/종일 봄을 찾았지만 찾지 못하고
진일 심 춘 불 견 춘

杖黎踏破幾重雲/지팡이에 험한 길 헤매다가
장 여 답파 기 중 운

黎/검을
여

歸來試把梅梢看/돌아와 매화나무 가지 끝을 보니
귀래 시 파 매 초 간

春在枝頭已十分/봄이 이미 가지 끝에 완연 하구나.
춘 재 지두 이 십 분

No.443

※探梅 -梅月堂-
탐매 매월당

大枝小枝雪千堆/큰 가지 작은 가지 일천 무더긴데
대 지 소 지 설 천 퇴

溫暖應知知次第開/따뜻하면 차례대로 피는 줄 응당 알겠네
온난 응 지 지 차 제 개

玉骨貞魂雖不語/옥 같은 뼈 곧은 넋은 말하지 않지만
옥골 정 혼 수 불 어

南條春意最先胚/남쪽 가지는 봄뜻을 가장 먼저 배었구나
남 조 춘의 최선 배

大枝蟠屈小枝糾/큰 가지 서려 굽고 작은 가지는 얽혔는데
대 지 반 굴 소 지 규

一幹橫斜杜若洲/한 줄기 두약주 에 가로 비껴있구나.
일 간 횡 사 두약 주

No.444

※梅花詩 -林逋- 北宋隱人으로 산속에 살면서 梅花와 鶴을
매화 시 임 포 북송 은인 매화 학

사랑했던 사람으로 유명하다

衆芳搖落獨暄姸/모든 꽃 떨어진 후 홀로 피어나서
중방 요락 독 훤 연

古盡風情向小園/바람이 그치자 조그만 정원을 향 하였네
고 진 풍 정 향 소 원

疎影橫斜水淸淺/성긴 그림자는 옅고 맑은 물에 비껴있고
소영 횡사 수 청 천

暗香浮動月黃昏/은은한 향기는 황혼녘에 짙어오네
암향 부동 월 황혼

霜禽欲下先偸眼/흰 학은 앉으려다 먼저 바라보고
상 금 욕 하 선 투안

粉蝶如知合斷魂/고운나비 알았다면 넋이 빠졌으리
분접 여 지 합 단혼

辛有徵吟可相狎/다행이 읊조리며 너와 함께 즐기니
신 유 징 음 가 상 압

不須檀板共金樽/檀板 없어도 술한잔 함께하리라.
불 수 단 판 공 금 준

搖/흔들일 暄/따뜻할 姸/고울 偸/훔칠 徵/부를
狎/익숙할 須/모름지기 檀/박달나무

※君自故鄕來/그대 고향에서 왔으니
應知故鄕事/응당 고향 일 알리라 應/응할
來日綺窓前/오던 날 비단창 앞에 綺/비단
寒梅着花未/한매 꽃이 피었더냐.

※陶山月夜詠梅
매

獨倚山窓夜色寒/홀로 산창에 기대서니 밤이 차가운데
독 의 산 창 야색 한

梅梢月上正團團/매화나무 가지 끝엔 둥근 달이 오르네
매 초 월 상 정 단 단

不須更喚微風至/구태여 부르지 않아도 산들바람도 이니
불 수 갱 환 미 풍 지

自有淸香滿院間/맑은 향기 저절로 뜨락에 가득 차네.
자 유 청 향 만 원 간

No.445

※古梅 -曺 雲-

苦枝東風着意佳/괴로운 가지 뜻 붙임이 아름다운데
고 지 동풍 착의 가

初無心事占春魁/애당초 봄의 괴수가 될 마음은 없었는데
초 무심 사 점 춘 괴

年年預得南枝信/해마다 남쪽가지에 미리 봄 소식을 전하니
년 년 예 득 남 지 신

不許群花作伴開/여러꽃과 짝지어 피기를 허락하지 않는다
불 허 군화 작반 개

魁/으뜸/우두머리
괴

jplenio

No.446

※老梅屛贊 -洪 景 盧-
노 매 병 찬 홍 경 로

峰嶸突兀/우뚝하고 품위 있어 嶸/가파를 兀/우뚝할
봉 영 돌올 영 올

茹鐵爲骨/철의 골격이던가 茹/먹을/소를 기르다
여 철 위 골 여

漂然氷姿/늠름한 빙설의 자세로 漂/떠돌
표 연 빙 자 표

氣壓群木/군목을 압제한다
기 압 군 목

近似則然/이같이 꽃이 허다한 것 같지만
근 사 칙 연

熟知其眞/누가 그 진을 알겠는가?
숙지 기 진

儲萬斛香/천만 섬의 향기를 간직하여 儲/쌓을
저 만곡 향 저

斛/휘/곡식그릇
곡

先天下春/천하의 봄을 먼저 피우네.
선천 하 춘

☞梅花와 다른 植物 짝짓기
매화 식물

雙淸:梅花. 水仙
쌍 청 매화 수선

歲寒二友:梅花, 菊花
세한 이 우 매화 국화

歲寒二雅: 梅花, 대나무.
세한 이아 매화

歲寒三友:소나무, 대나무,梅花
세한삼우 매화

三君:梅花, 水仙, 山礬.
삼 군 매화 수선 산 반

三淸: 梅花, 대나무, 돌.
삼 청 매화

三白:梅花, 눈, 白鷺
삼백 매화 백노

四愛:蘭草, 蓮꽃, 菊花, 梅花.
사 애 난초 연 국화 매화

四友:**소나무,난초,대나무,**梅花.
사우 매화

四淸:梅花,水仙,桂花, 菊花.
사 청 매화 수선 계화 국화

四君子:梅,蘭,菊,竹.
사군자 매 난 국 죽

五淸:**소나무,대나무,매화,난초,돌.**
오청

七香:梅花,蘭草,白合,茉莉,**치자,**桂花,水仙.
칠 향 매화 난초 백합 말리 계화 수선

三益友:文人,士大夫,禪僧
삼익우 문인 사대부 선승

雅**/초오/큰부리가마귀**
아

茉**/말리/목서과의상록관목=**莉
말 리

Phil Desforges

No.447

※楊山館 -楊山彦 小室-

愴望長途不掩扉/창망히 먼길 바라보며 사립문 닫지 못하고
창 망 장도 불 엄 비

夜深風露濕羅衣/깊은 밤 바람에 이슬이 비단옷 적시는 구나
야 심 풍 로 습 라 의

楊山館裏花千樹/임 계신곳(양산관)에 온 갖 꽃이 피어 있어서
양 산 관 리 화 천 수

日日看花歸未歸/날마다 꽃 보느라고 돌아오지 못하시나.
일일 간 화 귀 미귀

愴/슬퍼할 掩/가릴
창 엄

☞愴望/시름없이 바라봄
창 망

※知足可樂, 務貪卽憂
지족 가 락 무 탐 즉 우

滿足할 줄 알면 즐거울 것이고
만족

貪하는 일에 힘쓴 즉 근심이 있을 것이다.
탐

※美人姿態裏 春色上羅衣
미인 자태 리 춘색 상 라 의

미녀의 자태에 봄빛이 얇은 비단옷에 올라 있어

No.448

※老馬 -楊浦 崔澱-
노마 양 포 최 전

老馬枕松根/늙은 말(시인 자신)이 소나무 뿌리에 누워
노마 침 송근

夢行千里路/꿈 속에서 천리를 달리는 구나 澱/앙금
몽 행 천리 로 전

秋風落葉聲/가을 바람 우수수 낙엽지는 소리에
추풍낙엽 성

驚起斜陽暮/놀라 벌떡일어나니 빗긴 햇살이 저물었네,
경 기 사양 모

※春風桃李花開夜
춘풍 도리화 개 야

秋雨梧桐葉落時
추 우 오동 엽 낙 시

봄 바람에 복숭아 오얏(자두) 꽃이 피는 밤에도
가을 비에 오동잎이 떨어질 떼에도 오직 양귀비만을 생각하네.

※獄貨降殃 -茶山 丁若鏞-
옥 화 강 앙 다산 정약용

옥살이가 돈으로 결정한다면 하늘이 재앙을 내린다

※食不語 寢不言
식 불 어 침 불언

음식을 들면서 의논을 하지 않고, 자리에 누워서 이야기
하지 않는다

No.448

※楊山館

楊山館裏 西風起/양산 마을에 서풍이 불어오니
관 리 서풍 기

後山欲醉 前江淸/뒷산 흐리고 앞강물 맑은데
후산 욕 취 전 강 청

紗窓月白 蟲聲咽/사창에 달은 밝고 벌레 소리 구슬픈데
사창 월 백 충성 인

孤枕衾寒 夢不成/외롭고 쓸쓸하여 꿈을 이룰 수 없네
고침 금 한 몽불성

※竹杖芒鞋 單瓢子로 千里江山에 들어가니 瀑布도 장히
죽장망혜 단표자 천리 강산 폭포
좋다만은 廬山이 여기로다 飛流直下 三千尺은 果然虛言이
려 산 비류직하 삼천 척 과연 허언
아니로다

芒/까끄라기 鞋/짚신 簞/대광주리 瓢/박가지 廬/오두막집
망 혜 단 표 려

No.449

※유대감의 며느리

昨夜東風細雨時/봄바람에 비 내려 활짝 핀 꽃 젖는 밤에
작야 동풍 세우 시
桃花一朶滿開楣/이 어찌 마음을 누를 것이오,
도화 일 타 만개 미
金宵明月二更夜/오늘 밤 당신을 맞아드릴 테니
금 소 명월 이경 야
我旦邀君君莫辭/마음 편히 오소서,
아 단 요 군 군 막 사

450

※涵壁樓 -趙 浚-
함 벽 루 조 준

駿馬悠悠獨上樓/말타고 悠悠히 樓閣에 오르니
준마 유유 독 상 루 유유 누각
風塵宇宙十年愁/十年의 俗世살이 시름겨워라
풍진 우주 십년 수 십년 속세

恨無諸葛開平策/諸葛亮의 經綸이 없음을 한하며
한 무 제 갈 개평 책 제갈량 경륜

橫槊高吟芳草洲/노를 놓고 푸르른 강 언덕을 노래하네.
횡 삭 고 음 방 초 주

駿/준마 悠/멀 槊/창/8척의 창
준 유 삭

☞趙浚(1346忠穆王2~1405太宗5)
조준 충목왕 태종

高麗後期,朝鮮 前期의 文臣, 號는 松堂
고려 후기 조선 전기 문신 호 송 당

鄭道傳과 같이 왕을 廢位하고 李成桂를 推戴하여 朝鮮의
정도전 폐위 이성계 추대 조선

開國功臣이 되었다. 특히 그는 經濟 問題에 밝아 高麗 末에는
개국공신 경제 문제 고려 말

田制改革案을 發表하여 紊亂한 土地 行政의 改編을
전제 개혁 안 발표 문란 토지 행정 개편

부르짖었으며 조선의 土地制度는 그 議案에 의하여
토지 제도 의안

整備되었다. 太宗이 卽位하자 判門下府事로 任命, 左政丞을
정비 태종 즉위 판 문 하 부 사 임명 좌 정 승

지냈으며 領議政府使가 되었다, 詩文에 능하였고
영의정 부사 시문

1397년(태조6) 河崙 등과 함께 "經濟六典"을 編纂하였다.
하륜 경제육전 편찬

-끝-

한시 150선 제 4권으로 이어집니다

도서명 한시150선III
발 행 | 2024년 5월23일
저 자 | 한상호
펴낸이 | 한건희
펴낸곳 | 주식회사 부크크
출판사등록 | 2014.07.15.(제2014-16호)
주 소 | 서울특별시 금천구 가산디지털1로 119 SK트윈타워 A동 305호
전 화 | 1670-8316
이메일 | info@bookk.co.kr
ISBN | 979-11-410-8640-4
www.bookk.co.kr